Julia Braun-Podeschwa
Charlotte Habersack
Angela Pude

MENSCHEN

Deutsch als Fremdsprache
Kursbuch

Hueber Verlag

Für die hilfreichen Hinweise bei der Entwicklung des Lehrwerks danken wir:
Ebal Bolacio, Goethe-Institut/UERJ, Brasilien
Esther Haertl, Nürnberg, Deutschland
Miguel A. Sánchez, EOI León, Spanien
Claudia Tausche, Ludwigsburg, Deutschland

Fachliche Beratung:
Prof. Dr. Christian Fandrych, Herder-Institut, Universität Leipzig

Lerner-DVD-ROM:
Valeska Hagner, München

Die Inhalte der Lerner-DVD-ROM finden Sie auch unter
www.hueber.de/menschen/lernen

6. 5. 4.   Die letzten Ziffern
2021 20 19 18 17   bezeichnen Zahl und Jahr des Druckes.
Alle Drucke dieser Auflage können, da unverändert,
nebeneinander benutzt werden.
1. Auflage
© 2015 Hueber Verlag GmbH & Co. KG, München, Deutschland
Umschlaggestaltung: Sieveking · Agentur für Kommunikation, München
Zeichnungen: Michael Mantel, Barum
Layout und Satz: Sieveking · Agentur für Kommunikation, München
Verlagsredaktion: Marion Kerner, Gisela Wahl, Hueber Verlag, München
Druck und Bindung: Passavia Druckservice GmbH & Co. KG, Passau
Printed in Germany
ISBN 978–3–19–101903–7

Art. 530_09534_001_04

INHALT

Piktogramme und Symbole

Hörtext auf CD ▶ 1 02

Aufgabe im Arbeitsbuch AB

Aufgabe auf der Lerner-DVD-ROM Beruf

Grammatik

falls ≈ wenn
Falls Sie das Essen bereits beendet haben, legen Sie die Serviette neben den Teller.

Kommunikation

So etwas habe ich auch schon einmal erlebt.
Das ist mir auch schon passiert. Das berührt mich sehr.
Das kann ich gut nachempfinden.
Darüber hätte ich mich auch sehr gefreut.
Dieses Erlebnis finde ich besonders schön.

Liebe Leserinnen, liebe Leser,

Menschen ist ein Lehrwerk für Anfänger. Es führt Lernende ohne Vorkenntnisse in jeweils einem Band zu den Sprachniveaus A1, A2 und B1 des Gemeinsamen Europäischen Referenzrahmens und bereitet auf die gängigen Prüfungen der jeweiligen Sprachniveaus vor.

Menschen geht bei seiner Themenauswahl von den Vorgaben des Gemeinsamen Europäischen Referenzrahmens aus und greift zusätzlich Inhalte aus dem aktuellen Leben in Deutschland, Österreich und der Schweiz auf. Das Kursbuch beinhaltet 24 kurze Lektionen, die in acht Modulen mit je drei Lektionen zusammengefasst sind.

Das Kursbuch

Die 24 Lektionen des Kursbuchs umfassen je vier bzw. sechs Seiten und folgen einem transparenten, wiederkehrenden Aufbau:

Einstiegsseite

Der Einstieg in jede Lektion erfolgt durch ein interessantes Foto, das mit einem „Hörbild" kombiniert wird und den Einstiegsimpuls darstellt. Dazu gibt es erste Aufgaben, die in die Thematik der Lektion einführen. Die Einstiegssituation wird auf den Doppelseiten wieder aufgegriffen und vertieft. Außerdem finden Sie hier einen Kasten mit den Lernzielen der Lektion.

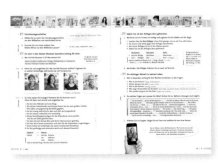

Doppelseite(n)

Ausgehend von den Einstiegen werden auf den Doppelseiten neue Strukturen und Redemittel eingeführt und geübt. Das neue Wortfeld der Lektion wird in der Kopfzeile prominent und gut memorierbar als „Bildlexikon" präsentiert. Übersichtliche Grammatik-, Info- und Redemittelkästen machen den neuen Stoff bewusst. In den folgenden Aufgaben werden die Strukturen zunächst meist in gelenkter, dann in freierer Form geübt. In die Doppelseiten sind zudem Übungen eingebettet, die sich im Anhang auf den „Aktionsseiten" befinden. Diese Aufgaben ermöglichen echte Kommunikation im Kursraum und bieten authentische Sprech- und Schreibanlässe.

Abschlussseite

Auf der letzten Seite jeder Lektion ist eine Aufgabe zum Sprechtraining, Schreibtraining oder zu einem Mini-Projekt zu finden, die den Stoff der Lektion nochmals aufgreift. Als Schlusspunkt jeder Lektion werden hier die neuen Strukturen und Redemittel systematisch zusammengefasst und transparent dargestellt.

Modul-Plus-Seiten

Vier zusätzliche Seiten runden jedes Modul ab und bieten weitere interessante Informationen und Impulse, die den Stoff des Moduls nochmals über andere Kanäle verarbeiten lassen.

Lesemagazin:	Magazinseite mit vielfältigen Lesetexten und Aufgaben
Film-Stationen:	Fotos und Aufgaben zu den Filmsequenzen der *Menschen*-DVD
Projekt Landeskunde:	ein interessantes Projekt, das ein landeskundliches Thema aufgreift und einen zusätzlichen Lesetext bietet
Ausklang:	ein Lied mit Anregungen für einen kreativen Einsatz im Unterricht

Die DVD-ROM

Mit der eingelegten DVD-ROM kann der Stoff aus *Menschen* zu Hause selbstständig vertieft werden. Sie ist ein fakultatives Zusatzprogramm für die Lernenden, ist passgenau mit dem Kursbuch verzahnt und bietet viele interessante und interaktive Lernangebote.

Folgende Verweise führen zur DVD-ROM:

interessant?	... führt zu einem Lese- oder Hörtext (mit Didaktisierung) oder Zusatzinformationen, die das Thema aufgreifen und aus einem anderen Blickwinkel betrachten
noch einmal?	... hier kann man den KB-Hörtext noch einmal hören und andere Aufgaben dazu lösen
Spiel & Spaß	... führt zu einer kreativen, spielerischen Aufgabe zum Thema
Beruf	... erweitert oder ergänzt das Thema um einen beruflichen Aspekt
Diktat	... führt zu einem kleinen interaktiven Diktat
Audiotraining	... Automatisierungsübungen für zu Hause und unterwegs zu den Redemitteln und Strukturen
Karaoke	... interaktive Übungen zum Nachsprechen und Mitlesen

Die DVD-ROM-Inhalte sind auch über den Lehrwerkservice unter www.hueber.de/menschen zugänglich.

Im Lehrwerkservice finden Sie außerdem zahlreiche weitere Materialien zu *Menschen* sowie die Audio-Dateien zum Kursbuch als MP3-Downloads.

Viel Spaß beim Lernen und Lehren mit *Menschen* wünschen Ihnen

Autoren und Verlag

1 **Sie möchten die anderen Kursteilnehmer kennenlernen. Was möchten Sie wissen?**
Arbeiten Sie in Gruppen und notieren Sie drei Fragen mit jeweils vier Antwortmöglichkeiten.

Sprachen | Hobbys | Ausbildung/Beruf | Familie | Alter | Lieblingsstadt | Pläne | Träume | …

1 Was macht ihr am liebsten
in eurer Freizeit?
a Sport
b Lesen
c Freunde treffen
d Ausgehen

2 Warum lernt ihr Deutsch?
a Ich möchte in Deutschland
studieren oder arbeiten.
b Ich habe Familie oder
Freunde in Deutschland.
c Ich habe berufliche
Kontakte nach Deutschland.
d Ich interessiere mich für
die deutsche Kultur.

3 Seit wann lernt ihr Deutsch?
a seit einem Jahr
b seit zwei Jahren
c seit drei Jahren
d seit vier Jahren

2 **Wählen Sie in Ihrer Gruppe eine Person, die die Blitzumfrage im Kurs durchführt.**
Die Person stellt sich vor den Kurs auf einen Stuhl und stellt nacheinander die Fragen
und die Antwortmöglichkeiten vor. Die anderen stellen sich in das Feld mit der Antwort,
die am besten passt.

> Was macht ihr am liebsten
> in eurer Freizeit? a Sport, b …

1 Warum habe ich euch eingeladen?

a Sehen Sie das Foto an. Was meinen Sie?
Wer sind die Personen? Was feiern sie?

*Vielleicht feiert die
ältere Dame einen runden
Geburtstag. ...*

▶1 02 **b** Was ist richtig? Hören Sie und kreuzen Sie an.

1 Die Gäste ⃝ kennen sich gut. ⃝ kennen sich nicht.
2 Amelie geht ⃝ für zwei Jahre ⃝ für zwei Monate nach Bulgarien.
3 Sie verabschiedet sich von den Menschen, ⃝ die in den letzten
zwei Jahren besonders wichtig für sie waren. ⃝ die sie bei
der Entscheidung unterstützt haben.

2 Sie gehen ins Ausland. Wie würden Sie Ihren Abschied feiern?

*Ich würde mich von möglichst
vielen Menschen verabschieden.
Deshalb würde ...*

Hören/Sprechen:
Personen beschreiben:
*Das ist meine Mitbewohnerin.
Ich kenne niemanden, der so
viel Humor hat wie sie.*

Wortfeld: Charakter-
eigenschaften

Grammatik: Adjektive
als Nomen: *eine Hübsche;*
n-Deklination: *ein Kollege,
einen Kollegen*

AB **3** **Charaktereigenschaften**

a Wählen Sie zu zweit drei Charaktereigenschaften aus dem Bildlexikon und umschreiben Sie sie.

> 1 Meine Kollegin ordnet alle Bücher nach Farben.
> 2 ...

b Tauschen Sie mit einem anderen Paar. Welche Wörter aus dem Bildlexikon passen?

Spiel & Spaß

> Zu Satz 1 passt „ordentlich", oder?

AB **4** **Ihr wart in den letzten Monaten besonders wichtig für mich.**

a Wer sind die Personen in **b**? Was meinen Sie?

> Ich glaube, dass die ältere Dame Amelies Nachbarin ist.

beste Freundin | Großmutter | Kollege | Mitbewohnerin | Nachbarin |
Nichte | Professor | Tochter vom Nachbarn

▶ 1 03 **b** Hören Sie und vergleichen Sie. Wer sind die Personen wirklich? Ergänzen Sie.
In welcher Reihenfolge stellt Amelie sie vor? Sortieren Sie.

noch einmal?

○ _____ ○ _____ ① *Tochter vom Nachbarn* ○ _____

▶ 1 03 **c** Zu wem passen die Aussagen? Notieren Sie die Nummern aus **b**.
Hören Sie dann noch einmal und vergleichen Sie.

Spiel & Spaß

1 Du bist eine Hübsche und eine Kluge. ○
2 Mit deiner Lebensfreude und deinem Humor bist du mein größtes Vorbild. ○
3 Wir haben uns gegenseitig Nachhilfe gegeben. ○
4 Du bist streng und kritisch, aber auch fair und sympathisch. ○
5 Du bist ebenso ordentlich wie vernünftig. ○
6 Meine Bewerbungsunterlagen für das Stipendium waren perfekt,
  weil du mir dabei geholfen hast. ○
7 Du hast mir mit deinem Mut und deiner Abenteuerlust geholfen. ①
8 Du hast mich immer unterstützt und mich für das Stipendium vorgeschlagen. ○
9 Deine Arbeit als Archäologin hat meine Studienwahl beeinflusst. ○
10 Du bist großzügig und unterstützt mich auch diesmal finanziell. ○

Adjektiv	→	Nomen	
hübsch	→	der/die	Hübsche
		ein	Hübscher
		eine	Hübsche

GRAMMATIK

auch so: der/die Kluge, der/die Arme, der/die Glückliche

aufmerksam	mutig	nervös	kritisch	treu	ernst	ordentlich	streng

AB **5** **Später hat sie den Kollegen dann geheiratet.**

a Markieren Sie die Formen von *Kollege* und ergänzen Sie die Tabelle und die Regel.

1 Amelies Oma hat den Kollegen schon früh gezeigt, was sie als Frau alles kann.
2 Sie konnte sich leicht gegen ihre Kollegen durchsetzen.
3 Mit einem Kollegen ist sie in den Libanon gereist.
4 Später hat sie den Kollegen dann geheiratet.

	Nominativ	Akkusativ	Dativ
●	der/ein Kollege	den/einen _____	dem/einem _____
○	die/– Kollegen	die/– _____	den/– *Kollegen* _____

auch so: maskuline Nomen auf: -e: Junge, Kunde, …; -ent:
Student, …; -ant: Praktikant; Mensch; Nachbar; Herr

Einige maskuline
Nomen (z. B. Nomen
auf -e, -ent und -ant)
haben außer im
Nominativ Singular
die Endung -en oder
-_____.

b *dem Kunden / den Kollegen:* Arbeiten Sie zu zweit auf Seite 155.

AB **6** **Ein wichtiger Mensch in meinem Leben**

a Wer ist besonders wichtig für Sie? Machen Sie Notizen zu den Fragen.

1 Wer ist die Person? *Sabine, Mitbewohnerin*
2 Woher kennen wir uns? *aus der Schule*
3 Wie ist die Person? *lebendig, kreativ*
4 Was mag ich besonders an ihr/ihm? *ihren Humor, akzeptiert meine Stärken und Schwächen*
5 Was mache ich gern mit ihr/ihm? *shoppen und wandern*

b Zu welchen Fragen aus **a** passen die Sätze? Ordnen Sie zu. Mehrere Lösungen sind möglich.

① Das ist Sabine/…, meine Mitbewohnerin / … ○ Und das ist Sabine. Wer sie noch nicht kennt:
Sabine ist meine … ○ Besonders großen Respekt habe ich vor ihrer/seiner/… ○ Wir treffen
uns oft zum … / beim … / … ○ Ich habe sie/ihn vor … Jahren kennengelernt. ③ Ich kenne
niemanden, der so … wie … ○ Sie/Er ist meine Mitbewohnerin / mein … und man kann sich
keine bessere / keinen besseren wünschen. ○ Wir waren / … drei Jahre lang … ○ Wir gehen
oft/regelmäßig/… zusammen … 3/4 Besonders wichtig ist mir / für mich, dass … ○ Kennt ihr
meine beste Freundin? Sie heißt … ○ … ist die/der Ordentlichste/…, die/den ich kenne.
○ Sie/Er ist sehr vernünftig/… und … ○ Ich mag besonders ihre/seine …

c Arbeiten Sie in Gruppen. Zeigen Sie ein Foto und erzählen Sie von Ihrer Person.

Das ist Sabine, meine Mitbewohnerin. Wir kennen uns aus der
Schule. Sabine ist lebendig und kreativ. Ich kenne niemanden,
der so viel Humor hat wie sie. Besonders wichtig ist mir, dass sie
meine Stärken und Schwächen akzeptiert. …

SPRECHTRAINING

▶1 04
AB
7 Aussagen verstärken und abschwächen: In der Mensa
Hören Sie und ergänzen Sie die Gespräche. Ergänzen Sie dann die Tabelle.

gar nicht | nicht so | wahnsinnig | ziemlich | ~~ziemlich~~

■ Gestern habe ich den neuen Professor gesehen. Der
ist noch _ziemlich_ jung. Habt ihr ihn schon erlebt?
▲ Seine Vorlesung gestern war _____
spannend. Er spricht _____ langsam. Ich wäre fast eingeschlafen.
● Was? Ich fand es _____ langweilig. Er hat _____
viel Humor. Das hat mir gut gefallen.

++	+	−	−−
total	_____	nicht besonders	überhaupt nicht
richtig		_____	_____
echt			
wirklich			
besonders			
_____			

AB
8 Sehen Sie sich die Fotos in diesem Buch an.
Wie sehen die Personen aus und wie wirken sie auf Sie?

■ Die Frau hier sieht ziemlich sympathisch aus.
▲ Ja, stimmt. Sie wirkt wahnsinnig humorvoll.
● Echt? Ich finde sie gar nicht so sympathisch. Sie wirkt ziemlich arrogant, finde ich.

GRAMMATIK

Adjektive als Nomen: *hübsch* → *die Hübsche*

	Nominativ	Akkusativ	Dativ
●	der Hübsche ein Hübscher	den Hübschen einen Hübschen	dem Hübschen einem Hübschen
●	die Hübsche eine Hübsche	die Hübsche eine Hübsche	der Hübschen einer Hübschen
●	die Hübschen – Hübsche	die Hübschen – Hübsche	den Hübschen – Hübschen

auch so: der/die Kluge, Erwachsene, Glückliche

n-Deklination

	Nominativ	Akkusativ	Dativ
●	der/ein Kollege	den/einen Kollegen	dem/einem Kollegen
●	die/- Kollegen	die/- Kollegen	den/- Kollegen

auch so: maskuline Nomen auf: -e, -ent, -ant, Mensch,
Nachbar; Herr

KOMMUNIKATION

Personen beschreiben

Das ist Sabine/..., meine Mitbewohnerin /...
Und das ist Sabine. Wer sie noch nicht kennt:
  Sabine ist meine ...
Kennt ihr meine beste Freundin? Sie heißt ...
Das ist ... Sie/Er ist meine/mein ... und man
  kann sich keine bessere / keinen besseren
  wünschen.
Ich habe sie/ihn vor ... Jahren kennengelernt.
Wir waren / ... drei Jahre lang ...
Sie/Er ist sehr vernünftig/...
... ist die/der Ordentlichste/..., die/den ich
  kenne.
Ich kenne niemanden, der so ... wie ...
Besonders großen Respekt habe ich vor ihrer/
  seiner/...
Besonders wichtig ist mir / für mich, dass ...

▶ 1 05 **1** **Sehen Sie das Foto an und hören Sie.**

a Was meinen Sie? Macht dem Mann seine Arbeit Spaß?

> Ich denke schon, dass ihm die Arbeit Spaß macht.
> Er sieht auf jeden Fall nicht unzufrieden aus.

b Ein Arbeitsplatz im Kindergarten: Was würde Ihnen gefallen?
Was nicht? Machen Sie Notizen und erzählen Sie.

☺	☹
Arbeit mit Kindern	Lärm
...	

> Die Arbeit mit Kindern würde mir gut gefallen.
> Aber der Lärm wäre mir zu viel. ...

Sprechen/Schreiben:
etwas Vergangenes
bewerten: *Besonders
gut gefiel mir ...*

Lesen: Praktikumsbericht,
E-Mail, Bestätigung

Schreiben: Bericht:
*Insgesamt fühlte ich mich
sehr wohl.*

Wortfeld: Arbeit

Grammatik: Präteritum:
zeigte, ging, ...

● Überstunde	● Gehalt	brutto	netto	● Steuer	● Chefin / ● Leiterin

AB **2** ## Insgesamt gefiel mir das Praktikum sehr gut.

a Überfliegen Sie die Texte. Wer schreibt was an wen? Verbinden Sie.

1 Benjamin Böhle schreibt   eine E-Mail   für die Schule.
2 Der Arbeitgeber schreibt   einen Praktikumsbericht   für die Schule.
3 Benjamin Böhle schreibt   eine Bestätigung   an eine Freundin.

Beruf ①

PRAKTIKUMSBERICHT KINDERGARTEN AN DER STEINSTRASSE
von Benjamin Böhle (Klasse 12a)

Da ich später auf jeden Fall mit Menschen zu tun haben möchte, wollte ich ein Praktikum im sozialen Bereich machen und entschloss mich daher für einen Kindergarten. Der Kindergarten an der Steinstraße gab mir eine Woche lang Gelegenheit dazu.

Die Einrichtung: Gleich am ersten Tag führte mich die Leiterin Frau Burger durch die Ein-
5 richtung und zeigte mir alles. Zu diesem Zeitpunkt hatte der Kindergarten drei Vormit-
tags- und zwei Nachmittagsgruppen. Das Arbeitsklima war freundlich und ich durfte auch die Erzieherinnen duzen.

Tagesablauf: Am Morgen kamen die Kinder zu unterschiedlichen Zeiten. Gegen zehn waren alle da und beschäftigten sich allein. Um zwölf gab es Mittagessen. Danach machten die
10 Kinder Mittagsschlaf und anschließend gingen wir in den Garten. Am späten Nachmittag las ich ihnen Geschichten vor und sang mit ihnen. Jeden Dienstag haben die Erzieherinnen Teambesprechung.

Der Beruf: Die Ausbildung zum/zur Erzieher/-in dauert zwei bis drei Jahre. Sie besteht aus Praxiszeiten und Theoriezeiten an einer Fachschule. Anschließend macht man ein
15 einjähriges Berufspraktikum. Manche Erzieher/-innen arbeiten Vollzeit. Andere haben eine Teilzeitstelle von 24 bis 33 Wochenstunden.

Fazit: Die Arbeit im Kindergarten machte mir viel Spaß. Die Kinder hatten schnell Ver-
trauen zu mir und auch mit meinen Kolleginnen kam ich gut zurecht. Besonders gut gefiel mir, dass ich Verantwortung übernehmen durfte und selbstständig arbeiten konnte.
20 Insgesamt gefiel mir das Praktikum sehr gut. Ich kann mir eine Ausbildung zum Erzieher gut vorstellen. Allerdings schreckt mich das geringe Einkommen ab. Leider sind Tätigkeiten im sozialen Bereich sehr schlecht bezahlt.

Beruf ②

Stuttgart, 5. Mai 20..

Praktikum Benjamin Böhle

Herr Böhle unterstützte unser Team eine Woche lang. Er war freundlich und hilfsbereit und erledigte seine Aufgaben immer sehr zuverlässig. Außerdem brachte Herr Böhle bereits gute Kenntnisse im Umgang mit Kindern mit. Besonders positiv fiel auf, dass er ein Instrument beherrschte und mit den Kindern Lieder sang.
Insgesamt waren wir mit der Leistung von Herrn Böhle sehr zufrieden. Für eine Ausbildung zum Erzieher können wir ihn unbedingt empfehlen.

Mit freundlichen Grüßen

Evelyn Burger

③

Hi Jenny,

heute war mein letzter Tag im Kindergarten. Echt schade ☹. Ich dachte nicht, dass
es mir Spaß machen würde, aber dann gefiel es mir total gut. Die Kinder waren echt
süß. So kreativ und lustig! Wir haben den ganzen Tag zusammen gesungen. Nur das
Mittagessen fand ich schrecklich. Das brachte so ein Lieferservice. Egal ob Fischstäbchen oder Spaghetti, alles schmeckte irgendwie gleich.
Leider ist das Gehalt von einem Erzieher sehr niedrig, sonst würde ich mir das echt
überlegen. Wusstest du, dass da netto kaum etwas übrig bleibt? Aber die Kinder-
gärtnerinnen waren immer sehr geduldig und lieb zu den Kindern, auch wenn sie
oft Überstunden machen mussten. Für mich sind sie die wahren Heldinnen des
Alltags! So, jetzt falle ich ins Bett. Bin todmüde.

Bis bald!
Benjamin

b **Lesen Sie noch einmal. In welchem Text / welchen Texten finden Sie Informationen
zu den Fragen? Notieren Sie 1, 2 und/oder 3. Hilfe finden Sie im Bildlexikon.**

Beantworten Sie dann die Fragen.

1 Warum entschloss Benjamin sich für ein Praktikum im Kindergarten? _1_
2 Wie war das Betriebsklima? _____
3 Wie wird Benjamin beschrieben? _____
4 Wie sah ein typischer Tag in dem Kindergarten aus? _____
5 Wie sieht die Ausbildung zum Erzieher aus? _____
6 Wie gut hat Benjamin gearbeitet? _____
7 Welche Vorkenntnisse hatte Benjamin? _____
8 Was hat ihm gut gefallen? _____
9 Was hat ihm nicht so gut gefallen? _____
10 Möchte er eine Ausbildung zum Erzieher machen? _____
11 Kann man Benjamin für einen Ausbildungsplatz im Kindergarten empfehlen? _____

c **Lesen Sie die Texte in a noch einmal und markieren Sie die Verben im Präteritum.
Machen Sie eine Tabelle.**

Infinitiv	Typ 1 „führte" (-te)	Typ 2 „entschloss" (Vokalwechsel)	Typ 3 „brachte" (-te + Vokalwechsel)
entschließen		entschloss	
führen	führte		
mitbringen			brachte mit
...			

Spiel & Spaß

Spiel & Spaß

AB **3** **Mein erster Arbeitstag**

a Suchen Sie die Präteritumformen im Wörterbuch.

sein — war, ...

sein | halten | führen | gefallen | denken | bekommen | sich fühlen

| Diktat

b Ergänzen Sie den Bericht mit den richtigen Präteritumformen.

Am Abend vor meinem ersten Arbeitstag _____ (sein)
ich ziemlich nervös. Aber der Tag ist mir in guter Erinnerung
geblieben. Gleich am Morgen _____ (halten)
der Chef eine Ansprache für alle neuen Auszubildenden. Danach
_____ (führen) der Ausbildungsleiter uns durch
den Betrieb. Besonders gut _____ (gefallen) mir das
Betriebsklima. Es _____ (sein) von Anfang an sehr
angenehm. „Hoffentlich dürfen wir schon am ersten Tag mitarbeiten!",
_____ (denken) ich am Abend vorher. Schon am späten
Vormittag _____ (bekommen) wir in der Werkstatt
Gelegenheit dazu. Der erste Tag war zwar anstrengend, aber insgesamt
_____ (fühlen) ich mich sehr wohl.

Leon Gess macht eine
Ausbildung zum Schreiner

c Einen Bericht schreiben: Mein erster Arbeitstag im Hotel.
Arbeiten Sie zu zweit auf Seite 156.

| Audiotraining | Karaoke

GRAMMATIK

Präteritum

	Typ 1 regelmäßige Verben (-te)	**Typ 2** unregelmäßige Verben (Vokalwechsel)	**Typ 3** Mischverben (-te + Vokal-wechsel)
	führen	**geben**	**bringen**
ich	führte	gab	brachte
du	führtest	gabst	brachtest
er/es/sie	führte	gab	brachte
wir	führten	gaben	brachten
ihr	führtet	gabt	brachtet
sie/Sie	führten	gaben	brachten

KOMMUNIKATION

etwas Vergangenes bewerten

Der erste Tag ist mir in guter/schlechter
  Erinnerung geblieben.
Schon der erste Tag machte mir (keinen) Spaß /
  (nicht so) viel Freude.
Erst habe ich zwar nicht so viel erwartet, aber
  dann gefiel es mir total gut.
Besonders gut / Nicht so gut gefiel mir das
  Betriebsklima / der Chef / ...
Das fand ich sehr angenehm / enttäuschend / ...
Nur von dem Essen / den Kollegen / den anderen
  Auszubildenden / ... war ich sehr enttäuscht.
Etwas merkwürdig war, dass ...
Der erste Tag war zwar anstrengend, aber ...
Insgesamt fühlte ich mich sehr wohl / nicht
  besonders wohl.
Insgesamt gefiel mir der erste Tag sehr gut /
  nicht so gut.

einen Bericht strukturieren

Gleich am Morgen ... / Dann/Danach/Anschlie-
  ßend ... / Gegen Mittag/Abend/zehn Uhr ... /
  (Erst) Am frühen/späten Vormittag/Nachmittag
  ...

Mein Beruf ist meine Leidenschaft.

Sprechen: über eine Statistik sprechen: *Rund die Hälfte von uns wohnt ...*

Lesen: Magazintext, Statistik

Wortfeld: Wohnen

Grammatik: Relativsätze im Dativ und mit Präpositionen: *Das ist der Ofen, an dem ich saß.*

1 Sehen Sie das Foto an und erzählen Sie:
Welche Assoziationen haben Sie?
Woran denken Sie?

> Das Foto erinnert mich an das Holzhaus in meinem letzten Urlaub. ...

▶ 1 06 **2 Hören Sie und beantworten Sie die Fragen.**
Was meinen Sie?

a Welchen Beruf hat Herr Hauser?
b Wer ist die Frau und was möchte sie?
c Kennen sich die beiden gut?
d Ist das ein beruflicher oder ein privater Kontakt?

■ Ich glaube, dass der Mann Fotograf ist.
▲ Nein, das glaube ich nicht. Er sagt in dem Gespräch, dass Fotografieren sein Hobby ist.

AB **3** **Ein Interview**

a Lesen Sie den Textanfang (Zeile 1–11) und beantworten Sie die Fragen.

1 Was macht Herbert Hauser beruflich?
2 Warum wird er für die Illustrierte interviewt?
3 Wovon erzählt Herbert Hauser in dem Interview?

> *„Ich möchte die Menschen glücklich machen"*
> Ein Besuch bei Herbert Hauser, Makler aus Leidenschaft
>
> Er lebt in Oberursel, einem kleinen Ort im Taunus in der Nähe von
> Frankfurt. Sein großes Arbeitszimmer hat viele Fenster, durch die man
> ins Grüne blickt. An den Wänden hängen Fotos in allen Größen, die
> unterschiedliche Häuser und ihre Bewohner zeigen. Herbert Hauser
> 5 kennt sie alle. Er ist der Mann, der den Traum vom passenden Heim
> wahr werden lässt – und das schon seit über 40 Jahren.
>
> „Ich wollte schon immer andere Menschen glücklich machen", erzählt er uns, als wir ihn
> besuchen. „Ihnen das richtige Haus oder die passende Wohnung vermitteln, das ist für mich
> mehr als ein Beruf. Es ist meine Leidenschaft!" Wer kann das heute noch sagen?
> 10 Zusammen mit Herbert Hauser werfen wir einen Blick auf die Fotos in seinem Arbeitszimmer.
> Er stellt uns vier Kunden vor, denen er bei der schwierigen Wohnungssuche half.

Feiert heute seinen
70. Geburtstag:
Herbert Hauser

b Welches Foto passt? Überfliegen Sie den Rest des Artikels und ordnen Sie zu.

(A) „Schauen Sie sich dieses Foto an, das hier war mein allererster Kunde in den
70er-Jahren: ein Frankfurter Student. Er suchte ein 1-Zimmer-Apartment
mit kleinem Balkon. Zu dieser Zeit herrschte extremer Wohnungsmangel
15 für Studenten. Wir fanden nur Wohnungen, die zu weit entfernt waren von
der Universität. Oder Wohngemeinschaften. Doch Joachim wollte unbedingt seine eigenen vier Wände haben. Nach langer Suche fanden wir einen
leeren Zirkuswagen auf dem Grundstück einer alten Dame. Sie machte
damals einen klugen Tausch: Joachim zog in den Zirkuswagen und erledigte
20 dafür Hausmeistertätigkeiten für die Besitzerin. Nach dem Tod der alten Dame
erbte er das Haus und das Grundstück und lebt heute noch dort. Ab und zu fahre
ich ihn besuchen und dann trinken wir eine Tasse Tee in seinem Wagen.

*Rund 16
Millionen
Deutsche leben
allein. Das ist
jeder Fünfte.*

Spiel & Spaß

● Wohnfläche ● Wand ● Balkon ● Dachterrasse ● Grundstück ● Einfamilienhaus ● Reihenhaus ● Wohnblock

B Das hier, das ist die Familie Souza Fontes aus Brasilien. Als sie aus ihrem
Heimatland hier ankamen, fanden sie nur eine enge Wohnung in der Innen-
25 stadt. Aber den Souza Fontes fehlte schnell vor allem eines: ein Ort, an den
sie Freunde und Verwandte zu jeder Jahreszeit zum Grillen einladen können.
Sie suchten also ein Zuhause mit Garten oder Hof. Die Kosten durften nicht
zu hoch sein. In einem Vorort fand ich eine schöne Wohnung, die direkten
Zugang zu einem großen Garten hatte. Die Wohnungseinweihung war ein
30 spektakuläres Garten- und Grillfest, bei dem es fantastisches Essen gab und
ich mich sehr amüsiert habe.

14 Prozent der Berlinerinnen und Berliner haben einen ausländischen Pass.

C Und hier, auf diesem Foto: Das sind die Ettenhubers, die unbedingt auf einen
alten Bauernhof ziehen wollten. Ich fand schließlich einen mit über 200 m²
Wohnfläche und einem großen Grundstück für sie. Die früheren Besitzer
35 zogen zu ihren Kindern und so übernahmen die Ettenhubers auch gleich die
ganze Einrichtung: Vom alten Auto über den Mülleimer bis zur Klobürste war
alles inklusive. Das Schmuckstück des Hauses war und ist der schöne Ofen,
an dem ich erst kürzlich wieder bei einem Stück Kuchen mit der Familie saß.

Junge Erwachsene zieht es in die Stadt – Familien und ältere Menschen aufs Land.

D Am schönsten war die Begegnung mit dieser Dame, die Sie vorhin ansprachen: Sie war eine sehr
40 anspruchsvolle Kundin, die nur in der besten Lage suchte. Ein Apartment mit Dachterrasse und Lift
in der Innenstadt von Frankfurt, das war ihr Wunsch. Ich habe der Dame viele Objekte gezeigt,
aber mit allen war sie unzufrieden ... nur mit mir nicht: Seit 36 Jahren bin ich glücklich mit Erika
verheiratet. Hier sehen Sie sie in unserem Ferienquartier am Bodensee!"

▶ 1 07–11   **c** **Was ist richtig? Lesen und hören Sie den Text und kreuzen Sie an.**
Hilfe finden Sie auch im Bildlexikon.

noch einmal?

A Joachim wollte in ◯ einer eigenen Wohnung ◯ einer Wohngemeinschaft leben.
Er durfte in den Zirkuswagen ziehen, wenn er ◯ ihn renoviert. ◯ der Besitzerin hilft.
Nach dem Tod der alten Dame ◯ musste er ausziehen. ◯ konnte er in das Haus einziehen.

B Den Souza Fontes vermittelte Herbert Hauser eine Wohnung ◯ in der Innenstadt.
◯ in einem Vorort. Die Miethöhe ◯ spielte keine Rolle. ◯ war für die Entscheidung
wichtig.

C Für die Ettenhubers fand Herbert Hauser einen Bauernhof mit ◯ kleinem Garten.
◯ großem Grundstück. Sie übernahmen den Hof ◯ möbliert. ◯ unmöbliert.
Das schönste an dem Haus ist ◯ der Ofen. ◯ das Grundstück.

D Herbert Hauser hat seine Ehefrau ◯ bei der Arbeit in Frankfurt ◯ im Urlaub am
Bodensee kennengelernt. Diese Kundin suchte ein Apartment mit Dachterrasse
in bester Lage ◯ am Stadtrand. ◯ im Zentrum.

AB **4** **Rund ums Wohnen**
Arbeiten Sie auf Seite 155.

● Makler   ● Apartment   ● Hausmeister   ● Innenstadt   ● Vorort   ● (Innen-)Hof   ● Ofen   ● Lift

AB **5** **Relativsätze: Sie war eine Kundin, die nur in bester Lage suchte.**

a **Ergänzen Sie und vergleichen Sie mit dem Text auf Seite 20/21.**

1 An den Wänden hängen Fotos in allen Größen, _____ unterschiedliche Häuser und ihre Bewohner zeigen.

2 Er ist der Mann, _____ den Traum vom passenden Heim wahr werden lässt.

3 Wir fanden nur Wohnungen, _____ zu weit entfernt waren von der Universität.

4 In einem Vorort fand ich eine schöne Wohnung, _____ direkten Zugang zu einem großen Garten hatte.

5 Am schönsten war die Begegnung mit dieser Dame, _____ Sie vorhin ansprachen.

6 Sie war eine sehr anspruchsvolle Kundin, _____ nur in der besten Lage suchte.

*WIEDERHOLUNG

GRAMMATIK

		Nominativ*	Akkusativ*	Dativ
●	Das ist der Mann,	der mir hilft.	den ich nicht kenne.	dem ich helfe.
●	Das ist das Mädchen,	das mir hilft.	das ich nicht kenne.	dem ich helfe.
●	Das ist die Dame,	die mir hilft.	die ich nicht kenne.	der ich helfe.
●	Das sind die Kunden,	die mir helfen.	die ich nicht kenne.	denen ich helfe.

Spiel & Spaß

b **Sehen Sie die Tabelle in a an und ergänzen Sie die passenden Relativpronomen im Dativ.**

1 Er stellt uns vier Kunden vor, _____ er bei der schwierigen Wohnungssuche half.

2 Die Wohnungseinweihung war ein Grillfest, bei _____ es fantastisches Essen gab und ich mich sehr amüsiert habe.

3 Das Schmuckstück des Hauses war und ist der schöne Ofen, an _____ ich erst kürzlich wieder mit der Familie saß.

GRAMMATIK

Relativsätze mit Präpositionen			
mit Akkusativ	Durch die Fenster blickt man ins Grüne.	→	Hier sind die Fenster, durch die man ins Grüne blickt.
mit Dativ	Ich saß an dem Ofen.	→	Das ist der Ofen, an dem ich saß.

6 **Endlos-Sätze: Das ist der Garten, in dem ich mich ausruhe, ...**
Arbeiten Sie zu viert auf Seite 157.

7 **Gedächtnis-Spiel**

a **Spielen Sie in Gruppen. Jede Person wählt zwei Gegenstände und legt sie in einen Beutel. Sagen Sie etwas zu den Gegenständen.**

■ Diesen Ring habe ich von meinem Mann geschenkt bekommen.
▲ Mit diesem Stift mache ich keine Fehler.

b **Ziehen Sie einen Gegenstand aus dem Beutel. Wem gehört der Gegenstand? Was wissen Sie über den Gegenstand? Erzählen Sie.**

▲ Das ist der Ring, den Luisa von ihrem Mann geschenkt bekommen hat.
■ Das ist der Stift, mit dem Carlos keine Fehler macht.

AB **8** **Wohnen in Deutschland**
Lesen Sie die Texte und kreuzen Sie an.

① Rund 16 Millionen Deutsche leben allein. Das ist jeder Fünfte.

Die Zahl der Einpersonenhaushalte ist in den letzten Jahren um 40 % gestiegen. Die Großstädte sind von dieser Entwicklung besonders stark betroffen: In Berlin gibt es über eine Million Menschen, die allein leben – das ist mehr als die Hälfte aller Berliner Haushalte (54 %). Aber auch in München, Hamburg und Bremen lebt in jedem zweiten Haushalt nur eine Person.

Einpersonenhaushalte in Deutschland
in Deutschland · in Berlin
20 % · 80 % · 46 % 54 %
▨ Einpersonenhaushalte
▨ Mehrpersonenhaushalte

② 14 Prozent der Berlinerinnen und Berliner haben einen ausländischen Pass.

Die knapp 480 000 Einwohnerinnen und Einwohner Berlins mit einer nicht-deutschen Staatsangehörigkeit kommen aus insgesamt 185 Staaten. Knapp drei Viertel davon sind Europäer (73,4 %). Aus asiatischen Ländern stammen 14,4 %, aus Amerika 5,6 %, aus Afrika 3,7 % und aus Australien und Ozeanien 0,5 %. Die türkischen Bürgerinnen und Bürger sind mit einem guten Fünftel die größte Gruppe von Ausländerinnen und Ausländern in Berlin.

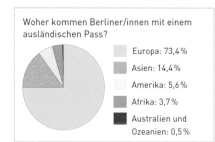

Woher kommen Berliner/innen mit einem ausländischen Pass?
▨ Europa: 73,4 %
▨ Asien: 14,4 %
▨ Amerika: 5,6 %
▨ Afrika: 3,7 %
▨ Australien und Ozeanien: 0,5 %

③ Junge Erwachsene zieht es in die Stadt –
Familien und ältere Menschen aufs Land.

Deutschland ist ein dicht besiedeltes Land mit über 81 Millionen Einwohnern. Etwa ein Viertel davon lebt in einer ländlichen Gegend. Fast ein Drittel der Bevölkerung lebt auf 4 % der Fläche in den Großstädten. In wenig besiedelten Gebieten geht die Bevölkerung immer weiter zurück: Vor allem junge Erwachsene ziehen in die Städte. Familien und auch ältere Menschen hingegen ziehen gern ins Grüne, allerdings am liebsten in die Nähe von Städten.

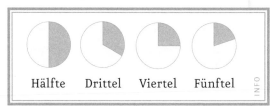

Hälfte   Drittel   Viertel   Fünftel   INFO

	richtig	falsch
a 40 % von allen Deutschen leben allein.	○	○
b In Großstädten lebt rund die Hälfte von den Bewohnern in Einpersonenhaushalten.	○	○
c Die meisten ausländischen Berliner Bürger kommen aus Europa.	○	○
d Gut ein Fünftel von den Einwohnern Berlins hat die türkische Staatsangehörigkeit.	○	○
e Etwa drei Viertel von der deutschen Bevölkerung leben in Großstädten.	○	○
f Junge Menschen wohnen am liebsten in der Stadt.	○	○
g Familien und ältere Menschen wohnen am liebsten in ganz einsamen Gegenden auf dem Land.	○	○

9 Wie wohnt der Kurs?

a Interviewen Sie Ihre Partnerin / Ihren Partner und ergänzen Sie. Machen Sie eine Kursstatistik.

1 Wohnen Sie ...	○ zur Miete?	○ in einem eigenen Haus / einer Eigentumswohnung?	
2 Wohnen Sie ...	○ in der Innenstadt?	○ am Stadtrand oder in einem Vorort?	○ auf dem Land?
3 Wohnen Sie ...	○ allein?	○ zu zweit/dritt?	○ mit mehr als 3 Personen zusammen?
4 Wie viele Zimmer haben Sie?	○ 1 Zimmer	○ 2–3 Zimmer	○ mehr als 3 Zimmer
5 Wie groß ist Ihre Wohnung?	○ < 40 m²	○ 40–80 m²	○ > 80 m²
6 Haben Sie ...	○ eine Terrasse?	○ einen Balkon?	○ einen Garten?

b Sprechen Sie über die Statistik.

> Mehr als / Gut/Rund/Etwa die Hälfte von uns wohnt ...
> Jeder zweite Teilnehmer wohnt ...
> In unserem Kurs gibt es fünf Personen, die in einer Eigentumswohnung leben.
> Das sind ... Prozent.
> Nur/Knapp ein Viertel von uns wohnt ...
> Fast 80 Prozent / drei Viertel von uns wohnen auf ... Wohnfläche.
> Die meisten von uns / Fast alle haben einen Balkon. / Keiner hat ...

GRAMMATIK

Relativpronomen und Relativsatz im Dativ

- Das ist der Mann,   dem ich geholfen habe.
- Das ist das Mädchen,   dem ich geholfen habe.
- Das ist die Dame,   der ich geholfen habe.
- Das sind die Kunden,   denen ich geholfen habe.

Relativsätze im Akkusativ und Dativ mit Präpositionen

Akkusativ	Durch die Fenster blickt man ins Grüne. → Hier sind die Fenster, durch die man ins Grüne blickt. *auch so:* sich freuen auf, sich ärgern über, sprechen über, Lust haben auf, sich interessieren für, ...
Dativ	Ich saß an dem Ofen. → Das ist der Ofen, an dem ich saß. *auch so:* träumen von, sprechen mit, zufrieden sein mit, sitzen an, ...

KOMMUNIKATION

über eine Statistik sprechen

Mehr als / Gut/Rund/Etwa die Hälfte von uns wohnt ...
Jeder zweite Teilnehmer wohnt ...
In unserem Kurs gibt es fünf Personen, die in einer Eigentumswohnung leben. Das sind ... Prozent.
Nur/Knapp ein Viertel von uns wohnt ...
Fast 80 Prozent / drei Viertel von uns wohnen auf ... Wohnfläche.
Die meisten von uns / Fast alle haben einen Balkon. / Keiner hat ...

Die FREUNDEFINDER – alte Freunde finden via Internet

In unserer Rubrik „**Klassentreffen**" berichten Menschen über Begegnungen mit Schulfreunden, die sie über unsere Internetseite wiedergefunden haben.

Nicola hat ihre Volksschulklasse wieder ausfindig
5 gemacht und ein Klassentreffen organisiert. Für uns berichtet sie davon:

„Ich heiße Nicola und bin 37 Jahre alt. Ursprünglich komme ich aus der Steiermark in Österreich, wohne aber schon lange in Wien. Ich habe eine sechsjährige
10 Tochter, die dieses Jahr in die Schule gekommen ist. Das hat mich an meine eigene Volksschulzeit erinnert. Wir hatten eine tolle Klassengemeinschaft. Wir lachten viel, schwätzten ständig und spielten zusammen. Ich war sehr neugierig, was wohl aus meinen
15 Mitschülern geworden ist. Vor allem aus Sebastian, unserem Frechsten, dem die Lehrerin immer eine schwarze Zukunft prophezeit hat. Dank der FREUNDE-FINDER-Seite habe ich fast unsere komplette Klasse wiedergefunden. Ich organisierte ein Klassentreffen
20 in einem Hotel, in dem wir gemeinsam ein Wochenende verbracht haben. Kaum sahen wir uns wieder, fühlte ich mich wie damals. Plötzlich war ich wieder die kleine Schüchterne, die sich nichts zu sagen traute. Dabei bin ich heute Leiterin einer großen
25 Buchhandlung und habe zehn Angestellte.

Die meisten habe ich auf Anhieb wiedererkannt. Nina
30 hatte ein paar graue Strähnen in ihren schwarzen Haaren, Sebastian war immer noch so dünn wie früher. Andere aber sahen als Erwachsene ganz
35 anders aus. Ich war sehr froh, Manu wiederzusehen, die damals meine beste Freundin war. Leider hatten wir uns total aus den Augen verloren. Als wir uns jetzt wiedersahen, war es, als wäre kein Tag vergangen. Und das Beste: Manu wohnt in St. Pölten, also
40 gar nicht so weit weg von Wien. Dank der FREUNDE-FINDER haben wir uns wieder. Sicher werden wir in Zukunft Kontakt halten. Unten sehen Sie Erinnerungsfotos. Die Frau in der Jeansjacke ist Anita, von der ich immer die Hausaufgaben abschrieb. Sie war
45 die Schlauste von allen. Die Lockige ist Manu, der Große ist Klaus. Er trug schon damals immer einen Hut. Die Schwarzhaarige ist Nina, mit der ich auch Ballett tanzte. Und der Dünne ist Sebastian, dem die Lehrerin die schwarze Zukunft vorhergesagt hat.
50 Er ist heute auch noch ziemlich frech. Und ein gefeierter Neurochirurg!"

1 Die „Freundefinder"

a Wie heißen die Personen auf den Fotos? Lesen Sie den Text und ergänzen Sie die Namen.

① _____ ② _____ ③ _____ ④ _____ ⑤ _____

b Was ist richtig? Lesen Sie noch einmal und kreuzen Sie an.

1 Nicola ist gern in die Schule gegangen und hat daher ein Klassentreffen organisiert. ○
2 Die Internetseite hat ihr bei der Suche nach den Mitschülern von damals sehr geholfen. ○
3 Zu Manu hatte sie auch nach der Schulzeit regelmäßig Kontakt. ○
4 Die Lehrerin hatte recht: Sebastian ist heute beruflich nicht erfolgreich. ○

2 Und Sie? Haben Sie schon alte Freunde über das Internet wiedergefunden?
Erzählen Sie.

1 Welchen Beruf habe ich?

a Sehen Sie die Fotos an und sammeln Sie Berufe, die zu den Fotos passen könnten.

_____ _Landwirt,_ _____   _____   _____

▶ Clip 1   **b** Sehen Sie den Film. Stoppen Sie bei jedem Klick. Wer kann den Beruf als erstes erraten?

Barbara P.   Karl H.   Friederike W.   Nathalie Ö.   Heinz G.

_____   _____   _____   _____   _____

▶ Clip 1   **c** Zu welchem Foto in **b** passen die Steckbriefe? Was meinen Sie? Ordnen Sie zu.
Sehen Sie dann den Film noch einmal: Vergleichen Sie und ergänzen Sie.

○ **Arbeitsbedingungen:** Einzel- und Gruppen-
training, Hausbesuche
Das finde ich schön: _____
Arbeitsinhalte: Training mit positiver
Verstärkung, Zusammenarbeit mit Heilpraktikern
und Ernährungsspezialisten
Voraussetzungen: Studium Tierpsychologie
mit Schwerpunkt Hund

○ **Das finde ich schön:** Arbeit überall möglich
Arbeitsinhalte: Bücher für Kinder und Jugend-
liche schreiben
Nachteile: _____
Voraussetzungen: Fantasie, Kreativität

○ **Arbeitsbedingungen:** Schichtdienst
Das finde ich schön: _____
Arbeitsinhalte: Medikamente geben, Blutdruck messen
Nachteile: Dokumentation dauert zu lange, Zeit mit
den Patienten fehlt

○ **Arbeitsbedingungen:** _____
Arbeitsinhalte: Dialoge aufnehmen,
Geräusche und Musik ergänzen
Voraussetzungen: Technikbeherrschung, Ein-
fühlungsvermögen, Fantasie, Aufmerksamkeit

○ **Arbeitsbedingungen:** unter-
schiedliche Arbeitszeiten
Das finde ich schön: Beruf hat
Zukunft, gutes Einkommen
Arbeitsinhalte: _____
Voraussetzungen: handwerkliches
Geschick, Kreativität, Kraft, Geduld
Nachteile: anstrengend bei Hitze,
Kälte und Regen, langer Urlaub im
Winter

2 Welchen Beruf haben Sie oder hätten Sie gern?

a Machen Sie einen Steckbrief wie in **1c** und schreiben
Sie dann einen kurzen Text.

b Erzählen Sie im Kurs. Machen Sie nach jeder Rubrik
eine Pause. Die anderen raten den Beruf.

1 **Flexibles Wohnen auf Zeit. Was ist richtig? Lesen Sie und kreuzen Sie an.**

FLEXIBLES WOHNEN AUF ZEIT – DER NEUE TREND

Wohnraum auf Zeit ist in größeren Städten besonders gefragt. Kurzfristige Arbeitsplatzwechsel, befristete Projekteinsätze, Praktikumsplätze, Auslandssemester, Sprachkurse, Messebesuche, Städtetrips – es gibt viele berufliche und private Gründe, für ein
5 paar Wochen oder Monate in einer anderen Stadt zu wohnen.
In den letzten Jahren ist die Nachfrage nach flexiblen Wohn-
möglichkeiten gestiegen und es entstehen ganz neue Wohn- und Lebensformen. Wenn Geld keine Rolle spielt, bietet das Hotelzimmer die klassische Alternative. Für alle, die nicht gern in einem neutralen Hotelzimmer wohnen, gibt es immer mehr Luxusapartments oder Boarding-
10 Houses. Diese Wohnform ist vor allem in den großen Bank- und Messestädten immer gefragter. Doch auch Menschen mit einem kleineren Geldbeutel haben einige Möglichkeiten: Für kürzere Zeiträume kann man mit etwas Glück Menschen finden, die zur gleichen Zeit in die eigene Heimatstadt ziehen und ihre Wohnung tauschen wollen. Für längere Zeiträume kann man natürlich auch möblierte Wohnungen oder Häuser mieten, wofür es ein stetig wachsendes
15 Angebot gibt. Wer lieber privat wohnt und Lust auf soziale Kontakte hat, wählt ein möblier-tes Zimmer bei Menschen, die einen Teil ihrer Wohnung gerade nicht nutzen oder gern Gäste bei sich aufnehmen. Sogar in Studenten-Wohngemeinschaften werden immer häufiger möb-lierte Zimmer für einen begrenzten Zeitraum zur Untermiete angeboten, denn auch Studenten müssen heute immer flexibler sein und planen ein Auslandssemester oder einen Uniwechsel.

a Luxusapartments und Boarding-Houses sind nicht besonders teuer. ◯
b Es gibt Menschen, die ihre Wohnungen für die Urlaubszeit tauschen. ◯
c Es gibt kaum möblierte Wohnungen zur Miete. ◯
d Auch bei Studenten wird möbliertes Wohnen immer beliebter. ◯

2 **Wohnen auf Zeit**

a Sie wollen eine Zeit lang in Deutschland, Österreich oder der Schweiz wohnen. Wählen Sie einen Ort und einen Zeitraum. Suchen Sie im Internet nach freiem Wohnraum und machen Sie Notizen zu den Fragen.

1 Welche Möglichkeiten gibt es? *Wohngemeinschaften, …*
2 Wer bietet das an / hilft bei der Vermittlung?
3 Was kostet es?
4 Was sind die Vorteile/Nachteile?
5 Würden Sie dort wohnen wollen? Warum (nicht)?

Wohnen in Linz
Anbieter: …

b Schreiben Sie kurze Texte zu den verschiedenen Möglichkeiten und suchen Sie passende Fotos im Internet. Präsentieren Sie Ihre Ergebnisse im Kurs.

Der rasende Friseur

1 Am Montag war ich bei dem Reichen mit dem Haus am Hang und dem Armen mit dem Namen, der so komisch klang.

2 Am Dienstag ging ich zu dem Alten, der kaum Haare hatte, und dem Jungen, der statt kurzen Haaren eine Matte hatte.

3 Am Mittwoch war ich bei der Dünnen, die so gerne las, und dem Dicken, der am liebsten Pizza Margherita aß.

4 Am Donnerstag besuchte ich die Große, die so lustig war, und den Kleinen mit dem feuerroten Strubbel-Haar.

5 Am Freitag machte ich Frau Meier eine Dauerwelle, kaschierte dann dem Gatten eine ziemlich kahle Stelle.

6 Am Samstag machte ich der Braut 'ne Hochzeitsfrisur, dem Bräutigam, dem reichte eine gründliche Rasur.

7 Am Sonntag hatte ich dann endlich einmal frei, ich stand spät auf und machte mir ein Spiegelei!

Refrain
Schnipp-di-Schnapp,
waschen, schneiden, föhnen,
Haare ab!
Färben oder tönen?
Ich bringe alles mit
für 'nen guten Schnitt.
Denn es ist nicht schwer,
ich bin der rasende Friseur!

▶ 1 12 **1** **Welche Bilder passen zu den Strophen? Ordnen Sie zu.**
Hören Sie dann das Lied.

2 **Spiel: Pantomime**

a Schreiben Sie die Wochentage auf Kärtchen. Ziehen Sie zu zweit ein Kärtchen und planen Sie eine Pantomime zu Ihrem Wochentag.

b Spielen Sie Ihre Pantomime im Kurs. Die anderen erraten den Wochentag.

▶ 1 12 **c** Hören Sie dann noch einmal und spielen Sie Ihre Pantomime zu der passenden Strophe vor.

▶ 1 13

Hören/Sprechen: reklamieren: *Das ist wirklich sehr ärgerlich.*; Gesprächsstrategien am Telefon: *Bleiben Sie bitte am Apparat!*

Lesen/Schreiben: Reklamation

Wortfeld: Kundenservice

Grammatik: Konjunktionen *obwohl, trotzdem*

1 Heute ist sicher meine Zeitschrift in der Post.

a Sehen Sie das Foto an. Warum liest die Frau diese Zeitschrift?

b Was ist richtig? Hören Sie und kreuzen Sie an.
Mehrere Lösungen können richtig sein.

1 Frau Appeldorn findet ○ Werbung ○ Rechnungen
○ ein Rätselheft ○ das Magazin *Auto & LKW* in ihrem Briefkasten.
2 Sie hat ○ ein Rätselheft ○ das Magazin *Auto & LKW* abonniert.
3 Der Verlag hat ihr das Magazin ○ schon mehrfach ○ zum ersten Mal geschickt.

2 Lesen Sie Zeitschriften? Wenn ja, welche?

Jugendzeitschrift | Fernsehzeitschrift | Reisemagazin | Nachrichtenmagazin | ...

SIGLINDE APPELDORN – WALDVÖGELEINSTR.

Mediengruppe Nord

● Absender

Mein Schreiben vom 10. Mai, mein Anru

Sehr geehrte Damen und Herren,

seit zwei Monaten bekomme ich statt der v

● Anrede

Mein Schreiben vom 10. Mai, mein Anr

Sehr geehrte Damen und Herren,

● Betreff

▶ 1 14 **3** **Drücken Sie bitte die „3" für persönliche Beratung.**

a Hören Sie und kreuzen Sie an.

1 Frau Appeldorn ruft beim Verlag an, ○ weil sie schon wieder die falsche Zeitschrift bekommen hat. ○ weil sie die Zeitschrift *Auto & LKW* kündigen möchte.

2 Frau Appeldorn wird ein paarmal durchgestellt und ○ hat am Schluss die zuständige Person am Apparat. ○ erreicht die zuständige Person nicht.

b Hören Sie noch einmal und sortieren Sie.

○ Eine Mitarbeiterin verbindet Frau Appeldorn mit dem Kundenservice.

○ Frau Appeldorn drückt die „3" und hält ihre Kundennummer bereit.

① Eine automatische Ansage gibt Auskünfte.

○ Frau Appeldorn erhält die Durchwahl, weil der Kollege gerade Mittagspause macht.

○ Frau Appeldorn ist mit dem falschen Mitarbeiter verbunden.

AB **4** **Am Telefon**

a Ergänzen Sie die Tabelle.

> KOMMUNIKATION
>
> ~~Guten Tag, Sie sind verbunden mit …~~ | Könnten Sie bitte später noch einmal anrufen? Ich gebe Ihnen die Durchwahl: Das ist die … | Kann sie/er Sie zurückrufen? | Firma …, womit können wir Ihnen helfen? | Oh, das tut mir leid, da sind Sie hier leider falsch. Moment, ich verbinde Sie mit meiner Kollegin / meinem Kollegen. Bleiben Sie bitte am Apparat. | Firma …, mein Name ist …, was kann ich für Sie tun? | Geben Sie mir bitte Ihre Telefonnummer. Frau/Herr … ruft zurück. | Frau/Herr … spricht gerade. Ihr/Sein Anschluss ist besetzt. | Für Reklamationen/Bestellungen/ Produktinformationen muss ich Sie mit der Abteilung … verbinden. Einen Moment bitte! Ich stelle Sie durch. | Hören Sie, Frau/Herr …, es tut mir sehr leid, aber die Kollegin / der Kollege ist gerade zu Tisch / außer Haus / in einer Sitzung. | Kann ich ihr/ihm etwas ausrichten?

Was sagen Sie am Telefon, wenn …	
① … Sie ein Gespräch einleiten	Guten Tag, Sie sind verbunden mit …
② … der Anrufer bei Ihnen falsch ist / Sie ihn weiterverbinden	
③ … die zuständige Person nicht da / nicht erreichbar ist	

b Anruf beim Kundenservice. Arbeiten Sie zu zweit auf Seite 158.

5 **Einen Augenblick bitte – wir sind gleich für Sie da!**

▶ 1 15 **a** Hören Sie und beantworten Sie die Fragen.

1 Warum ruft der Verlag Frau Appeldorn an?

2 Wie finden Sie die Reaktion von Frau Appeldorn?

b Was haben Sie zuletzt reklamiert? Erzählen Sie.

noch einmal?

Beruf

Mediengruppe Nord
ABC-Straße 12
20354 Hamburg

fehlenden Ausgaben der Zeitschr

Mit freundlichen Grüßen

Siglinde Appeldorn

Buchholz, 16. Juni 20..

Mit freundlichen Grüßen

Siglinde Appeldorn

P.S.: Eine Kopie dieses Brief

4

● Empfänger   ● Grußformel   ● Ort & ● Datum   ● Unterschrift

AB **6** ## Ich bin mit Ihrem Service nicht zufrieden.

a Was passt? Sehen Sie den Brief an und notieren Sie die passenden Wörter aus dem Bildlexikon.

Diktat

(1) SIGLINDE APPELDORN – WALDVÖGELEINSTR. 64 – 12345 BUCHHOLZ

Mediengruppe Nord
(2) ABC-Straße 12
20354 Hamburg

(3) Buchholz, 16. Juni 20.. (4)

(5) **Mein Schreiben vom 10. Mai, mein Anruf vom 15. Juni**

(6) Sehr geehrte Damen und Herren,

seit zwei Monaten bekomme ich statt der von mir abonnierten Zeitschrift „Rätselwelt"
das Magazin „Auto & LKW" zugeschickt. Obwohl ich Ihnen das mehrfach telefonisch und
schriftlich erklärt habe, hat sich bis heute nichts geändert.
Ich fordere Sie nun zum letzten Mal auf, dass Sie mir ab sofort wieder die richtige Zeitschrift „Rätselwelt" senden. Bitte schicken Sie mir bis spätestens 25. Juni auch die
fehlenden Ausgaben. Zu Ihrer Information: Bis ich die von mir abonnierte Zeitschrift
wieder erhalte, bezahle ich mein Abonnement selbstverständlich nicht mehr.

Ich muss Ihnen leider sagen, dass ich mit Ihrem Service nicht zufrieden bin. Trotzdem
können Sie mich als Abonnentin behalten, wenn ich spätestens nächste Woche alle
fehlenden Ausgaben der Zeitschrift „Rätselwelt" von Ihnen bekomme.

(7) Mit freundlichen Grüßen

(8) Siglinde Appeldorn

P.S.: Eine Kopie dieses Briefes geht an Ihre Abteilung Kundenzufriedenheit.

1 – Absender
2 –

b Lesen Sie den Brief noch einmal und korrigieren Sie die Sätze.

1 Frau Appeldorn schreibt den Brief, weil sie seit zwei Monaten keine Zeitschrift bekommt.
2 Mit diesem Brief beschwert sie sich zum ersten Mal schriftlich beim Verlag.
3 Der Verlag soll ihr die fehlenden Rätselhefte nicht mehr senden.

c Ergänzen Sie *obwohl* oder *trotzdem*. Hilfe finden Sie in dem Brief in **a**.

Spiel & Spaß

GRAMMATIK

Problem/Grund	Entscheidung/Folge (unerwartet)
Ich habe Ihnen das mehrfach erklärt.	_____ hat sich bis heute nichts geändert.

GRAMMATIK

Problem/Grund	Entscheidung/Folge (unerwartet)
_____ ich Ihnen das mehrfach erklärt habe,	hat sich bis heute nichts geändert.

d Gegensätze finden: *Trotzdem* … Arbeiten Sie zu zweit auf Seite 158.

SCHREIBTRAINING

7 **Eine Reklamation schreiben**

a Lesen Sie die Anreden und Grußformeln und kreuzen Sie an.

	formell	informell
Sehr geehrte Damen und Herren,	○	○
Hallo Melina,	○	○
Sehr geehrte Frau Zwickel,	○	○
Sehr geehrter Herr Fischer,	○	○
Liebe Sandra,	○	○
Herzlichst Deine/Dein	○	○
Mit freundlichen Grüßen	○	○
Mit den besten Grüßen/Wünschen	○	○

b Schriftlich reklamieren: Lesen Sie die Aufgabe und machen Sie Notizen. Hilfe finden Sie auch in dem Brief auf Seite 31. Schreiben Sie dann einen formellen Brief an die Mediengruppe Nord.

Sie haben vor vier Wochen eine neue Zeitung abonniert. Sie haben immer noch keine Ausgabe erhalten. Sie haben schon zwei E-Mails geschickt. Schreiben Sie an den Verlag.
– Warum schreiben Sie?
– Was soll der Verlag tun?
– Was machen Sie, wenn das nicht bis nächste Woche passiert?

KOMMUNIKATION

Obwohl ich Ihnen schon zwei E-Mails geschickt habe, habe ich noch keine Antwort erhalten.
Das ist wirklich sehr ärgerlich.
Ich möchte Sie auffordern, dass Sie mir ab sofort ...
Bitte bestätigen Sie mir schriftlich, dass ...
Ich muss leider sagen, dass ...
Ihr Service / ... hat mich sehr enttäuscht. Trotzdem ...
Wenn ich bis ... keine Zeitung bekomme / nichts von Ihnen höre, (dann) ...

GRAMMATIK

Konjunktionen: unerwartete Gegensätze
Hauptsatz + Nebensatz: _obwohl_
Es hat sich bis heute nichts geändert, obwohl ich Ihnen das mehrfach erklärt habe.
Hauptsatz + Hauptsatz: _trotzdem_
Ich habe Ihnen das mehrfach erklärt. Trotzdem hat sich bis heute nichts geändert.

schriftlich reklamieren
Obwohl ich Ihnen schon zwei E-Mails geschickt habe, habe ich noch keine Antwort erhalten.
Das ist wirklich sehr ärgerlich.
Ich möchte Sie auffordern, dass Sie mir ab sofort ...
Bitte bestätigen Sie mir schriftlich, dass ...
Ich muss leider sagen, dass ...
Ihr Service / ... hat mich sehr enttäuscht. Trotzdem ...
Wenn ich bis ... keine Zeitung bekomme / nichts von Ihnen höre, (dann) ...

KOMMUNIKATION

Gesprächsstrategien am Telefon
Guten Tag, Sie sind verbunden mit ...
Firma ..., mein Name ist ..., wie kann ich Ihnen helfen?
Firma ..., womit können wir Ihnen helfen?
Für Reklamationen/Bestellungen/Produktinformationen muss ich Sie mit der Abteilung ... verbinden. Einen Moment bitte! Ich stelle Sie durch.
Oh, das tut mir leid, da sind Sie hier leider falsch. Moment, ich verbinde Sie mit meiner Kollegin / meinem Kollegen. Bleiben Sie bitte am Apparat.
Hören Sie, Frau/Herr ..., es tut mir sehr leid, aber die Kollegin / der Kollege ist gerade zu Tisch / außer Haus / in einer Sitzung.
Frau/Herr ... spricht gerade. / Ihr/Sein Anschluss ist besetzt.
Könnten Sie bitte später noch einmal anrufen?
Ich gebe Ihnen die Durchwahl: Das ist die ...
Kann sie/er Sie zurückrufen?
Kann ich ihr/ihm etwas ausrichten?

Spiel & Spaß

Audiotraining

Karaoke

Hören/Sprechen:
Vermutungen über
Zukünftiges äußern:
Ich vermute, dass ...

Lesen: Umfrage:
Lesermeinungen

Wortfelder: Medien
und Technik

Grammatik: Futur I:
werden + Infinitiv

1 **Das ist fast ein bisschen wie Zauberei.**

a Sehen Sie das Foto an. Wann ist das Foto entstanden? Was meinen Sie?

▶ 1 16 **b** Was ist richtig? Hören Sie und kreuzen Sie an.

1 Die Sekretärinnen haben noch nicht lange einen Computer. ◯
2 Sie freuen sich über die Arbeitserleichterung. ◯
3 Die Abteilungsleiter bekommen keine eigenen Computer. ◯

2 **Seit wann gibt es das? Was meinen Sie?** (Auflösung: Seite 162)

E-Mail | Internet | Laptop | Mobiltelefon | PC | Smartphone | SMS | Tablet-PC

```
├── 1970 ──── 1980 ──── 1990 ──── 2000 ──── 2010 ──▶
                          E-Mail
```

interessant?

● Roboter   ● PC (Personal Computer)   ● Laptop   ● Mobiltelefon/Handy   ● Smartphone   ● Tablet-PC

AB **3** **Sehen Sie das Bildlexikon zwei Minuten lang an.**

Ihre Kursleiterin / Ihr Kursleiter nennt die Begriffe. Haben oder hatten Sie diese Dinge? Dann stehen Sie auf.

AB **4** **Computer heute und morgen**

a Überfliegen Sie den Text. Wer meint, dass sich der Computer in privaten Haushalten durchsetzen wird?

SINN UND UNSINN EINES COMPUTERS

Februar 1987. Immer mehr Menschen kaufen sich einen Computer. Was meinen Sie?
Wird sich der Computer auch in privaten Haushalten durchsetzen?

Ⓐ   Das Rad der Geschichte lässt sich nicht mehr zurückdrehen. Vor allem im Berufsleben gibt es keine Alternative zum Computer. Ich glaube, auch im privaten Bereich wird der Computer in den nächsten Jahren einen zentralen Platz einnehmen. Ich vermute, dass der Computer für unsere Kinder wie
5   ein Lehrer sein wird. Vermutlich werden unsere Autos sich selbst steuern können und vieles mehr. Möglicherweise hat in ferner Zukunft sogar jeder von uns einen persönlichen Assistenten, der uns in allen Lebensbereichen helfen kann. Und wir haben dann mehr Freizeit.

Willy Grüneis (30)

Ⓑ   Alle behaupten: Der Computer nimmt uns Arbeit ab! Ich sehe das ganz
10   anders. Mein Freund Marc hat sich gerade einen PC gekauft. Seither beschäftigt sich Marc mehr mit dem Handbuch als mit seiner Diplomarbeit, die er mit dem Computer schreiben will. Manche Leute behaupten, in Zukunft werden wir uns keine Briefe mehr schreiben, sondern Mitteilungen von einem Computer zum anderen schicken. Aber warum sollte
15   ich einen Brief mit diesem komplizierten Gerät schreiben? Es heißt auch, bald werden Maschinen Menschen ersetzen. Ich frage mich: Ist das Fortschritt, wenn die Menschen dann ihre Arbeit verlieren? Also, ich werde mir in den nächsten Jahren bestimmt keinen Computer kaufen. Und ich bin überzeugt, so wie ich denken die meisten!

Frank Holzbrink (38)

b Was ist richtig? Lesen Sie den Text in a noch einmal und kreuzen Sie an. Korrigieren Sie die falschen Sätze.

Ⓐ Willy ist der Ansicht, dass Computer im Berufsleben eine große Rolle spielen werden. ○
Im Privatleben wird der Computer ~~nicht~~ so wichtig sein wie im Berufsleben. *genau* ○
Die Menschen werden in Zukunft vielleicht mehr freie Zeit haben, denn die Computer nehmen ihnen Arbeit ab. ○

Ⓑ Frank findet: Einen Computer kann man genauso einfach bedienen wie eine Schreibmaschine. ○
Er fürchtet, dass Computer den Menschen in Zukunft Arbeitsplätze wegnehmen können. ○
Er ist der Überzeugung, dass sich die meisten Menschen in den nächsten Jahren einen Computer kaufen. ○

| • Festplatte | • Laufwerk | • Monitor | • Tastatur | • Maus |

AB | **5** | **Lesen Sie die Sätze 1–3 und ergänzen Sie die Tabelle.**

① Bald wird in jedem Haushalt ein PC stehen. ② Morgen kaufe ich einen neuen PC.
③ Im Berufsleben wird es keine Alternative mehr zu Computern geben.

| **Zukunft** | 1) etwas ist sicher: | **Präsens + Zeitangabe** |
| | 2) bei Vorhersagen / Vermutungen: | **Futur I** *Bald wird in jedem Haushalt ein PC stehen.* |

6 | **Zukunftsvisionen: Wo sehen Sie sich in … Jahren? Arbeiten Sie auf Seite 160.**

▶ 1 17–19 | **7** | **Was verändert sich in den nächsten 20 Jahren an Ihrem Arbeitsplatz?**
AB

a | **Wer sagt was? Was meinen Sie? Ordnen Sie zu. Hören Sie dann und vergleichen Sie.**

Paulo, 34 Jahre ◯
Landschaftsgärtner

Lukas, 19 Jahre ◯
Student

Verena, 41 Jahre ◯
Marketingleiterin

1 Man wird an virtuellen Universitäten studieren können.
2 Teamarbeit und Kommunikation werden immer wichtiger.
3 Die Technik überfordert viele Menschen.

b | **Hören Sie noch einmal. Wer sagt das? Ergänzen Sie: Lukas = L, Verena = V, Paulo = P.**

1 Ich halte es für unmöglich, dass es mit dem technischen Fortschritt noch weitergeht. Ⓟ
2 In Zukunft werden Zeit und Raum bei der Kommunikation keine Rolle mehr spielen. ◯
3 Schon bald wird es wohl keine Alternative zu Teamarbeitsplätzen mehr geben,
   an denen es technische Hilfsmittel wie Service-Roboter gibt. ◯
4 Ich vermute, dass wir nicht mehr rund um die Uhr erreichbar sein werden,
   weil uns das zu sehr anstrengt. ◯
5 In 20 Jahren werden wohl alle Angestellten eine Datenbrille erhalten. ◯
6 Man wird sich vermutlich ohne Maus und Tastatur in die Systeme einloggen können. ◯
7 Ich kann mir gut vorstellen, dass man am Arbeitsplatz kein Papier mehr braucht. ◯

c | **Vermutungen äußern: Ergänzen Sie und vergleichen Sie mit den Sätzen in b.**

Ich glaube, in 20 Jahren wird …	Es w_____ wohl …
Das halte ich _____ unm_____ .	Ver_____ wird …
Dazu gibt es wohl keine A_____ .	Ich kann m_____ gut/nicht
Ich ver_____ , dass …	v_____ , dass …

d | **Wie sieht das Leben in 50 Jahren aus? Arbeiten Sie in Gruppen auf Seite 159.**

AB **8 Vorhersage, Vorsatz oder Aufforderung?**
Welcher Satz passt? Ordnen Sie zu.

1 ~~Ich werde morgen mit dem Rauchen aufhören.~~
2 Ich werde in Zukunft mehr Sport machen.
3 Morgen wird wohl endlich mal wieder die Sonne scheinen.
4 ~~Du wirst jetzt bitte dein Zimmer aufräumen!~~
5 Du wirst jetzt sofort die Musik leiser machen!
6 Wir werden dir beim Umzug helfen.
7 Bald wird es keine Briefkästen mehr geben.

Vorhersage/Vermutung	Versprechen/Vorsatz/Plan	Aufforderung/Warnung
	Ich werde morgen mit dem Rauchen aufhören.	Du wirst jetzt bitte dein Zimmer aufräumen!

9 Arbeiten Sie zu zweit und wählen Sie drei Themen.
Schreiben Sie eine Vorhersage/Vermutung, ein Versprechen / einen Vorsatz / einen Plan
und eine Aufforderung/Warnung. Tauschen Sie die Sätze mit einem anderen Paar und
ordnen Sie deren Sätze zu.

Wetter | Urlaub | Wochenende | Gesundheit | Ernährung | Nachbarn | Kinder

■ „Ich werde nie wieder Alkohol trinken." Das ist ein Vorsatz.
▲ Ja, stimmt. Und …

Ich werde nie wieder Alkohol trinken.

GRAMMATIK

Zukunft	
1) etwas ist sicher:	**Präsens + Zeitangabe** Morgen kaufe ich einen neuen PC.
2) bei Vorhersagen/ Vermutungen:	**Futur I** Bald wird in jedem Haushalt ein PC stehen.

Futur I: werden + Infinitiv

Vorhersage/Vermutung:
 Bald wird in fast jedem Haushalt ein PC stehen.
Warnung/Aufforderung:
 Du wirst jetzt bitte die Musik leiser machen!
Versprechen/Vorsatz/Plan:
 Ich werde morgen mit dem Rauchen aufhören.

KOMMUNIKATION

Vermutungen über Zukünftiges äußern
Ich glaube, in 20 Jahren wird … Das halte ich für unmöglich. Dazu gibt es wohl keine Alternative. Ich vermute, dass … Es wird wohl … Vermutlich wird … Ich kann mir gut/nicht vorstellen, dass …

Spiel & Spaß

Audiotraining   Karaoke

Hören/Sprechen: halb-offizielle Einladungen: *Fühlen Sie sich wie zu Hause.*

Lesen: Ratgeber

Wortfeld: Essens-einladung

Grammatik: Konjunktion *falls*

1 **Sehen Sie das Foto an: Was ist hier los? Was meinen Sie?**

▶ 1 20 **2** **Wer sagt was? Hören Sie und ordnen Sie zu.**
Vergleichen Sie dann mit Ihren Vermutungen in 1.

	HERR MÜLLER	FRAU MÜLLER	HERR GEIGER
a Kommen Sie doch noch zum Essen zu uns mit.	○	○	○
b Wir würden uns freuen.	○	○	○
c Lass doch. Wenn er nicht will.	○	○	○
d Ich komme! Vielen Dank für die Einladung.	○	○	○

Die beiden haben verschiedene Interessen. Herr Müller …

● Begrüßung   ● Gastgeschenk   einen ● Platz anbieten   ● Aperitif

3 **Was kann bei einer Essenseinladung schieflaufen?**
Sehen Sie ins Bildlexikon und sammeln Sie.

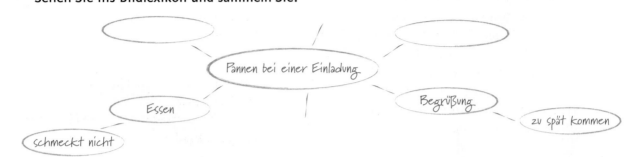

Pannen bei einer Einladung

Begrüßung

zu spät kommen

Essen

schmeckt nicht

▶ 1 21   **4**   **Zwei Wochen vorher: Herr Geiger zu Gast bei Herrn und Frau Müller.**

a   **Was ist richtig? Was meinen Sie? Hören Sie und kreuzen Sie an.**

1   Herr Geiger ist ein ◯ einfacher ◯ schwieriger Gast.
Er hat ◯ keine ◯ viele Sonderwünsche.
2   Frau Müller hat ◯ großes Verständnis
◯ nicht so viel Verständnis für Herrn Geiger.

b   **Was passt zusammen? Verbinden Sie. Hören Sie dann noch einmal und vergleichen Sie.**

1   Herr Geiger kommt zu spät   Deshalb lehnt er den Nachtisch ab.
2   Er möchte keinen Aperitif,   denn er hat eine Laktose-Intoleranz.
3   Er hat eine Allergie   weil er Vegetarier ist.
4   Herr Geiger isst keinen Rinderbraten,   denn er ist gegen Weizen allergisch.
5   Er kann auch keine Nudeln essen,   weil er keinen Alkohol trinkt.
6   Herr Geiger möchte abnehmen.   und hat kein Gastgeschenk dabei.
7   Er trinkt seinen Kaffee ohne Milch,   gegen Katzenhaare.

c   **Wie finden Sie das Verhalten von Herrn Geiger? Erzählen Sie.**

Ich finde, Herr Geiger ist ein besonders
schwieriger Gast. Meiner Meinung nach
hat er viel zu viele Sonderwünsche.

AB   **5**   **Eine gelungene Einladung**
Notieren Sie die passenden Stichwörter aus dem Bildlexikon.
Sortieren Sie dann das Gespräch.

◯ _Aperitif,_ _____   ◯ _____

■ Setzen Sie sich! Fühlen Sie sich wie   ■ Möchten Sie noch etwas von dem Braten?
   zu Hause!   ▲ Nein, danke. Ich bin leider schon satt. Es
▲ Vielen Dank!   hat wirklich ausgezeichnet geschmeckt.
■ Darf ich Ihnen ein Glas Sekt anbieten?   ● Vielen Dank! Das freut uns.
▲ Ja, gern. Danke.

● Vorspeise ● Hauptspeise ● Nachspeise / ● Nachtisch / ● Dessert ● Abschied & ● Dank

① _____ , _____

● Herzlich willkommen! Kommen Sie rein. Schön, dass es geklappt hat.
▲ Vielen Dank für Ihre Gastfreundschaft.
● Darf ich Ihnen meine Frau vorstellen?
■ Guten Tag. Sehr erfreut.
▲ Ganz meinerseits. Die sind für Sie!
■ Oh! Das ist aber ein schöner Blumenstrauß. Vielen Dank!

○ _____

● Darf ich Ihnen noch etwas nachschenken?
▲ Nein, danke. Es ist schon spät. Ich muss langsam gehen.
● Ja, Sie haben recht. Kommen Sie gut nach Hause.

▲ Danke! Und noch einmal herzlichen Dank für die Einladung! Ich habe lange nicht so gut gegessen.
■ Gern geschehen.

○ _____

▲ Hm, das sieht aber lecker aus. Und es riecht so gut.
■ Darf ich Ihnen von der Vorspeise geben?
▲ Ja, gern. Danke.

AB 6 Rollenspiel: Schwierige Gäste

a Arbeiten Sie zu zweit und planen Sie Ihre Rollen. Sehen Sie noch einmal ins Bildlexikon: In welchen Situationen wollen Sie schwierig sein? Notieren Sie auch passende Redemittel.

Meine Rolle als Gast:
Ich habe ○ ein Gastgeschenk. Ⓧ kein Gastgeschenk.
Ich wollte eigentlich noch Blumen kaufen, aber ich habe es nicht mehr geschafft.
Ich habe ○ eine Allergie. ○ keine Allergie.
Ich habe ○ keine Sonderwünsche. ○ Sonderwünsche, nämlich:
_____

Meine Rolle als Gastgeber:
Ich biete ○ keinen Aperitif ○ ein/e/en _____ als Aperitif an.
Als Vorspeise/... gibt es _____ .
Ich erfülle ○ alle Sonderwünsche. ○ nicht alle Sonderwünsche.

Ich wollte eigentlich noch ..., aber ...
Es tut mir leid. Aber ich habe eine ...allergie. / Ich bin allergisch gegen ...
Wenn es Sie nicht stört, würde ich lieber ...
Wenn es keine Umstände macht, hätte ich lieber ...

Ach, das macht doch nichts.
Das ist kein Problem.
Das macht gar keine Umstände.
Oh, das tut mir leid! Aber da kann man leider nichts machen.
Oh, wie schade! Dann kann ich Ihnen leider nichts anbieten. / Dann kann ich Ihnen nur ... anbieten.

b Spielen Sie das Gespräch. Hilfe finden Sie auch in dem Gespräch in 5.

neununddreißig | 39 Modul 2

● Begrüßung   ● Gastgeschenk   einen ● Platz anbieten   ● Aperitif

AB **7** **Tipps für ein Geschäftsessen**

a Welche Überschrift passt? Überfliegen Sie die Tipps und ergänzen Sie.

> Kein sinnloses Nachwürzen! | Verwenden Sie Ihr Besteck richtig! | Nicht einfach gehen! |
> Niemals zu schnell essen! | Fangen Sie nicht vor den anderen an!

DAS GESCHÄFTSESSEN – SO VERHALTEN SIE SICH RICHTIG

Gute Tischmanieren sind sehr wichtig. Egal, ob bei einem Kollegen zu Hause, im Restaurant oder in der Kantine, Sie sollten immer daran denken, dass Ihre Geschäftspartner und Kollegen Sie nach Ihren Tischmanieren beurteilen. Besonders rund um ein Vorstellungsgespräch werden Sie beim Essen genau
5 beobachtet. Ihr zukünftiger Arbeitgeber will schließlich sicher sein, dass Sie sich benehmen können und bei einem Geschäftsessen korrekte Tischmanieren haben.

FÜNF TIPPS, DIE SIE UNBEDINGT BEACHTEN SOLLTEN:

1. _____
Auch wenn Sie sehr hungrig sind: Begrüßen Sie erst alle und warten Sie, bis jeder Platz
10 genommen hat. Setzen Sie sich nicht als Erster und beginnen Sie nicht mit dem Essen, bis der Gastgeber ein Zeichen gegeben hat. Er bestimmt, wann mit dem Essen begonnen wird.

2. _____
Die Serviette ist nicht zum Naseputzen da! Auch Schweiß darf man sich nicht mit ihr von der Stirn wischen! Für solche Fälle sollten Sie immer ein Papiertaschentuch bei sich haben.
15 Beim Essen gehört die Serviette auf den Schoß und nicht in den Hemdkragen. Wer kurz auf die Toilette muss, legt die Serviette auf den Stuhl. Falls Sie das Essen bereits beendet haben, legen Sie die Serviette neben den Teller.
Auch das Besteck ist nur zum Essen da! Gestikulieren Sie nicht damit herum. Bei mehreren Gängen sollten Sie die Reihenfolge beachten: Fangen Sie mit dem Besteck ganz außen an
20 und arbeiten Sie sich zum Besteck, das innen liegt, vor.

3. _____
Probieren Sie Ihr Essen, bevor Sie es salzen und pfeffern. Nur ein Ignorant würzt, ohne dass er weiß, wie es schmeckt. Falls Sie das Essen tatsächlich zu langweilig finden, ist späteres Nachwürzen natürlich erlaubt.

25 4. _____
Wer zu große Stücke abschneidet und sein Essen gierig in sich hineinstopft, hat keine guten Tischmanieren. Lassen Sie sich immer so viel Zeit, dass Sie noch eine Unterhaltung führen können. Und natürlich: Niemals mit vollem Mund sprechen!

5. _____
30 Das vorzeitige Verlassen des Tischs ist ein absolutes Tabu! Der Gastgeber gibt an, wann das Geschäftsessen beendet ist. Nur weil Sie müde sind, es eilig haben oder lieber einen Fernsehabend zu Hause verbringen möchten, dürfen Sie nicht frühzeitig aufstehen.
Falls Sie aber aus einem wichtigen Grund vorher gehen müssen, sollten Sie sich auf jeden Fall entschuldigen. Nennen Sie den Grund und verabschieden Sie sich höflich.

35 ZU GUTER LETZT – ANDERE LÄNDER, ANDERE SITTEN!
Nicht überall sind die Tischmanieren gleich. Informieren Sie sich daher vor Ihrem Geschäftsessen über die jeweiligen Sitten des Landes.

GRAMMATIK | **falls ≈ wenn**
Falls Sie das Essen bereits beendet haben, legen Sie die Serviette neben den Teller.

b Lesen Sie den Text noch einmal und ergänzen Sie die Tabelle.

	Was sollten Sie (auf keinen Fall) tun?
1 Sie sind sehr hungrig.	☺ alle begrüßen, … ☹ …
2 Sie haben eine Erkältung.	
3 Sie bekommen den ersten Gang. Welches Besteck wählen Sie?	
4 Sie essen gern scharf.	
5 Sie unterhalten sich gern beim Essen.	
6 Sie wären am liebsten zu Hause.	
7 Ihre Tochter hat hohes Fieber.	

8 **Einladungen in Ihrem Heimatland / einem Land Ihrer Wahl**

a Eine Deutsche / Ein Deutscher ist bei Ihnen zum Essen eingeladen. Was sollte sie/er beachten? Einigen Sie sich zu zweit auf die beiden wichtigsten Tipps.

- ■ In Japan sollte man wissen, dass man nicht nach einem westlichen Besteck fragen sollte, falls zum Essen traditionelle Stäbchen gereicht werden.
- ● Ja, das ist richtig. Aber noch wichtiger ist vielleicht, dass die Stäbchen nie senkrecht im Reis stehen bleiben dürfen.
- ■ Ja, stimmt. Das ist besonders wichtig. Und außerdem …

b Schreiben Sie Ihre Tipps auf ein Plakat und präsentieren Sie sie im Kurs.

interessant?

TIPPS FÜR JAPAN

Stäbchen dürfen nie senkrecht im Reis stehen!
Stäbchen dürfen in Japan nicht senkrecht im
Reis stehen bleiben, denn das ist ein schlechtes Zeichen.
Es erinnert an den Tod.

9 Unsere Tipps für einen lustigen Abend

a Arbeiten Sie in Gruppen und wählen Sie fünf Themen. Schreiben Sie Ihre persönlichen Regeln für einen lustigen Abend auf.

Pünktlichkeit | Begrüßung | Gastgeschenk | Kleidung | Alkohol | Rauchen | Geräusche beim Essen | Handys | Wie lange bleibt man? | ...

Fünf Tipps, die Sie unbedingt beachten sollten

1. Pünktlichkeit: Zeit ist nicht so wichtig. Deshalb ist es nicht so schlimm, wenn Sie bis zu eine Stunde zu spät kommen.

2. Wie lange bleibt man? Sie sollten erst gehen, wenn Sie betrunken sind.

...

b Präsentieren Sie Ihre Tipps im Kurs.

GRAMMATIK

Konjunktion *falls* (Bedingung)

Falls Sie das Essen bereits beendet haben, legen Sie die Serviette neben den Teller.
Legen Sie die Serviette neben den Teller, *falls* Sie das Essen bereits beendet haben.

KOMMUNIKATION

Halboffizielle Einladungen

Herzlich willkommen, Frau/Herr ... ! Kommen Sie rein. Schön, dass es geklappt hat. Darf ich Ihnen meine Frau / meinen Mann vorstellen? Guten Tag Frau/Herr ... Sehr erfreut. Oh! Das ist aber ein schöner Blumenstrauß. Vielen Dank! Setzen Sie sich! / Fühlen Sie sich wie zu Hause! Darf ich Ihnen ein Glas Sekt anbieten? Vielen Dank! Das freut uns/mich. Möchten Sie noch etwas ... / Darf ich Ihnen ... anbieten? Darf ich Ihnen noch etwas Kaffee nachschenken? Schon? Bleiben Sie doch noch ein bisschen. / Sie haben recht. Kommen Sie gut nach Hause. Gern geschehen.	Vielen Dank für Ihre Gastfreundschaft, Frau/Herr ... Ganz meinerseits. Die sind für Sie! Ja, gern. Danke. Hm, das sieht aber lecker aus. Und es riecht so gut. / Es hat wirklich ausgezeichnet geschmeckt. Ja, gern. / Nein danke. Ich bin leider schon satt. Nein, danke. Es ist schon spät. Ich muss langsam gehen. Noch einmal herzlichen Dank für die Einladung! Ich habe lange nicht so gut gegessen.

Sonderwünsche äußern und darauf reagieren

Ich wollte eigentlich noch ..., aber ... Es tut mir leid. Aber ich habe eine ...allergie. / Ich bin allergisch gegen ... Wenn es Sie nicht stört, würde ich lieber ... Wenn es keine Umstände macht, hätte ich lieber ...	Ach, das macht doch nichts. Das ist kein Problem. Das macht gar keine Umstände. Oh, das tut mir leid! Aber da kann man leider nichts machen. Oh, wie schade! Dann kann ich Ihnen leider nichts anbieten. / Dann kann ich Ihnen nur ... anbieten.

Liebe Kunden, liebe Geschäftspartner, liebe Freunde der Agentur Kommedia,

wir möchten Sie herzlich zu unserem zweijährigen Bestehen einladen. In den letzten beiden Jahren haben wir viel gearbeitet! Jetzt möchten wir uns endlich Zeit nehmen und gemeinsam
5   mit Ihnen ein großes Fest feiern.

Wir freuen uns immer noch sehr, dass wir uns im Juni vor zwei Jahren zur Selbstständigkeit entschlossen haben. Obwohl der Weg bis hierher nicht ganz einfach war, hat uns die Arbeit immer Spaß gemacht. Diese Freude wollen wir mit allen teilen, die uns begleitet haben.

Wir feiern am Samstag, 23. Juni, auf den Kulturterrassen in Flensburg.
10   Um 15 Uhr geht es los und wir feiern, bis der letzte Gast geht.

Das erwartet Sie:
• ab 15 Uhr: Begrüßung mit Kuchen und Torten von unserem dänischen Lieblingskonditor
• ca. 16.30 Uhr: Grußwort und Rückblick unseres Geschäftsführers Ole Sundbeck
• im Anschluss: Ausblick mit Gastrednerin Vivien Albrechtsson: „Unsere Zukunft ist crossmedial! –
15   Herausforderungen neuer Kommunikationsstrategien"
• ab 18 Uhr: deutsch-skandinavisches Mittsommer-Buffet mit herzhaften und süßen Spezialitäten
• durchgehend erfrischende Getränke für jeden Geschmack an unserer Bar mit Ausblick auf die Flensburger Förde
• ab 22 Uhr: Mittsommer-Wettspiele mit Ringwerfen, Sackhüpfen und vielem mehr
20   • ab 23 Uhr: großes Lagerfeuer mit Musik und Tanz, es spielt die Band „Die Nordlichter"

Ansonsten wollen wir dieses Fest auch dazu nutzen, einander endlich persönlich kennenzulernen. Auch Ihre Partnerin / Ihr Partner ist herzlich willkommen!
25   Wir freuen uns auf Ihre Anmeldung bis zum 14. Juni an Petra Steffens von *Kommedia* unter der Telefonnummer 0461– 567890 oder per E-Mail an p.steffens@kommedia.de.

30   Mit herzlichen Grüßen
Ihr *Kommedia*–Team

Über uns: Unsere PR-Agentur *Kommedia* hat ihren Sitz in der Flensburger Südstadt. Wir haben unsere Agentur vor zwei Jahren mit fünf Personen gegründet und beschäftigen seit letztem Monat 20 feste Mitarbeiter. Unsere Schwerpunkte sind Marken-, Produkt- und Unternehmens-PR und Marketing.
Unsere beiden neuen Mitarbeiter Tilo Kochert und Fabian Schade werden unser Team vor allem im Bereich mobiles Marketing unterstützen. Die zwei haben jede Menge Erfahrung und Innovationsgeist vorzuweisen. Wir begrüßen die beiden hiermit nochmals herzlich in unserem Team.

1 **Lesen Sie die Einladung und beantworten Sie die Fragen.**

a   Wer lädt wen wozu ein?
b   Waren die letzten beiden Jahre für die Agentur erfolgreich?
c   Wann und wo wird gefeiert?
d   Welche vier Punkte aus dem Programm gefallen Ihnen besonders gut? Warum?

2 **Und Sie? Waren Sie schon einmal auf einer geschäftlichen Feier? Erzählen Sie.**

▶ Clip 2 **1** **Täglich besser leben**

a Worum geht es in diesem Film? Was meinen Sie?
Sehen Sie den Anfang des Films ohne Ton (bis 0:47)
und sprechen Sie.

> Ich denke, dass es um die Schweiz
> geht. Vielleicht ist das ein Werbefilm
> für Touristen.

b Sehen Sie den Anfang des Films (bis 0:47) nun mit Ton und vergleichen Sie.

c Was ist richtig? Sehen Sie den Film weiter (0:48 – 1:41) und kreuzen Sie an.

1 Die Menschen konnten die Produkte ○ bestellen.
○ am Lastwagen kaufen.
2 Im Gründungsjahr 1925 hatte die Migros ○ fünf Produkte
○ sechs Produkte im Angebot.
3 Der Gründer der Migros, Gottlieb Duttweiler, verkaufte
die Produkte ○ preiswerter ○ teurer als die Konkurrenz.
4 Die Qualität der Produkte war Gottlieb Duttweiler
○ nicht so ○ besonders wichtig.

2 **Die Migros wird größer.**

a Was meinen Sie? In welcher Reihenfolge entwickelte Gottlieb
Duttweiler seine Geschäftsideen? Sortieren Sie.

○ Ferien für alle: Gründung des Reisebüros Hotel Plan | ○ Beteiligung am Buchclub Ex Libris |
○ die ersten festen Läden | ○ das Kulturprozent: ein Teil des Umsatzes wird für Kultur gespendet |
○ Bildung für alle in den „Klubschulen Migros" | ○ Eröffnung des ersten Selbstbedienungs-
supermarkts in Europa | ○ Herstellung einiger Produkte in Eigenproduktion

▶ Clip 2 **b** Sehen Sie den Film weiter (1:42 – 3:43) und vergleichen Sie.

▶ Clip 2 **3** **Die Migros heute**

a Sehen Sie den Film ohne Ton weiter (ab 3:44).
Welche Unternehmensbereiche gehören heute
außerdem noch zur Migros? Notieren Sie.

Geschäftsbereiche der Migros: _____

b Sehen Sie das Ende des Films noch einmal
(ab 3:44) und vergleichen Sie mit Ihren
Notizen aus **a**.

c Die Migros ist eine Genossenschaft. Ein Viertel
der Bevölkerung in der Schweiz ist daran
beteiligt. Würden Sie sich an einer Genossenschaft beteiligen? Warum / Warum nicht?

> Eine **Genossenschaft** ist eine Unterneh-
> mensform, die allen gehört, die sich daran
> beteiligen wollen. Die Mitglieder erreichen
> gemeinsam Ziele, die sie als Einzelne nicht
> erreichen können. In Genossenschaften
> sind vor allem demokratische Entscheidun-
> gen (Mitglieder treffen Entscheidungen
> gemeinsam) und Gleichheit (die Mitglieder
> sind gleichwertig) wichtig.

1 **Lesen Sie den Text und beantworten Sie die Fragen.**

Presselandschaft in Deutschland

Der deutsche Zeitungsmarkt ist der größte Europas: Man hat die
Wahl zwischen etwa 350 verschiedenen Titeln mit einer Gesamt-
auflage von ungefähr 19 Millionen Exemplaren. Besonders beliebt
sind in Deutschland lokale Zeitungen, die nur in einer bestimm-
5 ten Region (oder Stadt) erscheinen und besonders viel über diese Region berichten.
Überregionale Zeitungen, die man in ganz Deutschland beziehen kann und deren
Schwerpunkt auf nationalen und internationalen Themen liegt, haben nur einen Anteil
von etwa 8%.

Bei Zeitungen unterscheidet man „Qualitätszeitungen" und „Boulevardzeitungen":
10 Qualitätszeitungen informieren seriös über politische, wirtschaftliche und kulturelle
Themen. In den Boulevardzeitungen hingegen geht es mehr um Unterhaltung, Klatsch,
Beziehungen und Verbrechen. Sie sind auch bunter, haben größere Fotos und weniger
Text als Qualitätszeitungen. Die auflagenstärkste Tageszeitung ist die einzige über-
regionale Boulevardzeitung: die *Bild*-Zeitung mit einer Auflage von ca. 2,5 Millionen
15 Exemplaren. Ihr folgen drei Qualitätszeitungen: die *Süddeutsche Zeitung (SZ)* auf Platz 2
(Auflage: ca. 400.000 Exemplare) und auf den Plätzen 3 und 4 die *Frankfurter Allgemeine
Zeitung (FAZ)* (ca. 335.000) und *Die Welt* (ca. 240.000).

Neben den Tageszeitungen gibt es zahlreiche Zeitschriften, die
seltener erscheinen. Am beliebtesten sind die Publikumszeit-
20 schriften wie die Programmzeitschriften (z.B. *TV Movie* mit
ca. 1,2 Millionen verkauften Exemplaren), gefolgt von Nachrich-
tenmagazinen (z.B. *DER SPIEGEL*, Auflage: ca. 880.000 Exemplare), Frauenzeitschriften
(z.B. *Brigitte*, Auflage: ca. 560.000) und vielen weiteren mehr. Daneben gibt es Fach-
zeitschriften, die sich mit speziellen Fachgebieten beschäftigen (z.B. *Deutsches Ärzteblatt*,
Auflage: ca. 400.000).

a Welche Tageszeitungen werden traditionell von vielen Menschen gekauft?
b Welche verkaufte Auflage hat die größte deutsche Boulevardzeitung?
c Wie heißt die größte deutsche Qualitätszeitung?
d Nennen Sie Beispiele für häufig verkaufte Zeitschriften.

2 Zeitungs- oder Zeitschriftenporträt

a Wählen Sie eine Zeitung oder eine Zeitschrift aus Deutschland, Österreich
oder der Schweiz. Recherchieren Sie und machen Sie Notizen zu den Fragen.

1 Wie heißt die Zeitung/Zeitschrift und welche Inhalte hat sie?
2 Seit wann gibt es sie? | 3 Wie hoch ist die Auflage?
4 Wie oft erscheint die Zeitung? | 5 Was gefällt Ihnen besonders gut / nicht so gut?

b Machen Sie ein Plakat und präsentieren Sie Ihre Zeitschrift im Kurs.

AUSKLANG

1 ○ fährt der mir wieder vor der Nase weg – und ich
   ○ obwohl ich schneller als sonst zum Bus gelaufen bin,
   ① Obwohl ich heute früher aufgestanden bin,
   ○ höre schon den Chef in meinem Ohr:

   ○ dann bitte ich Sie nicht mehr nur in mein Büro hinein,
   ⑤ „Falls das noch mal passiert, dann stellen Sie sich drauf ein:
   ○ und Akten ordnen, Listen abhaken und schreiben."
   ○ dann werden Sie in Zukunft abends länger bleiben

*Soll
das schon alles
sein in meinem Leben?
Ich will ab heute endlich
wieder was erleben!
Immer nur rackern, das hat
doch keinen Zweck!
Ich setz' mich in den
nächsten Zug und bin
mal weg.*

2 ○ und das findet der Konzernchef ganz und gar nicht toll!
   ○ obwohl ich doch nach schwarzen Zahlen strebe,
   ○ Obwohl ich mir doch alle Mühe gebe,
   ○ bleibt unterm Strich der Rechnung wieder mal 'ne Null –

   ○ dann können Sie sich 'nen neuen Job suchen und gehen.
   ○ „Falls das noch mal passiert, dann auf Nimmerwiedersehen,
   ○ Es gibt ja hier noch andere gute Männer und Frauen!"
   ○ Dann werde ich mich nach einem neuen Leiter umschauen …

*Soll
das schon alles
sein in meinem Leben?
Ich will ab heute endlich
wieder was erleben!
Immer nur rackern, das hat
doch keinen Zweck!
Ich setz' mich in den
nächsten Zug und bin
mal weg.*

3 ○ komm' ich dem Zeitplan wieder mal kaum hinterher – ich glaub',
   ○ Obwohl ich fast nur noch in Konferenzen sitze,
   ○ ich geb' es auf, ich kann wirklich fast nicht mehr.
   ○ obwohl ich über Listen und Ausdrucken schwitze,

   ○ Dann treten wir vom Auftrag heute noch zurück
   ○ „Falls das nicht fertig wird", höre ich den Kunden schreien …
   ○ und bestellen nicht mal mehr ein einziges Stück!"
   ○ „Dann gibt es Ärger, dann möcht' ich in Ihrer Haut nicht sein!

*Soll
das schon alles
sein in unserm Leben?
Wir wollen ab heute endlich
wieder was erleben!
Immer nur rackern, das hat
doch keinen Zweck!
Wir sitzen jetzt im
Zug, ab heute sind
wir weg.*

▶ 1 22 **1** **Lesen Sie den Liedtext und sortieren Sie die Zeilen in den Strophen.**
Hören Sie dann das Lied und vergleichen Sie.

2 **Und Sie? Würden Sie auch gern einfach mal wegfahren?**
Machen Sie Notizen zu den Fragen und erzählen Sie in Gruppen.

Wohin würden Sie fahren? _____
Was würden Sie machen? _____
Wie lange würden Sie wegfahren? _____

Hören / Sprechen: Kundenberatungsgespräche: *Ich würde Ihnen empfehlen, …*

Wortfelder: Tiere und Beratung

Grammatik: Infinitiv mit zu: *Ich habe keine Zeit, das alles zu übernehmen.*

▶ 1 23 **1** **Sehen Sie das Foto an und hören Sie.**
Wo sind die Kinder und was machen sie? Was meinen Sie?

Tierheim | Zirkus | Tierhandlung | Zoo | Bauernhof | …

> Ich glaube, die Kinder sind auf einem Bauernhof. Vielleicht
> machen sie dort Urlaub und füttern die Kaninchen.

2 **Haben Sie Haustiere? Hatten Sie als Kind ein Haustier?**
Wenn ja, welches? Erzählen Sie.

> Als Kind hatte ich einen Hund. Aber momentan
> habe ich leider zu wenig Zeit.

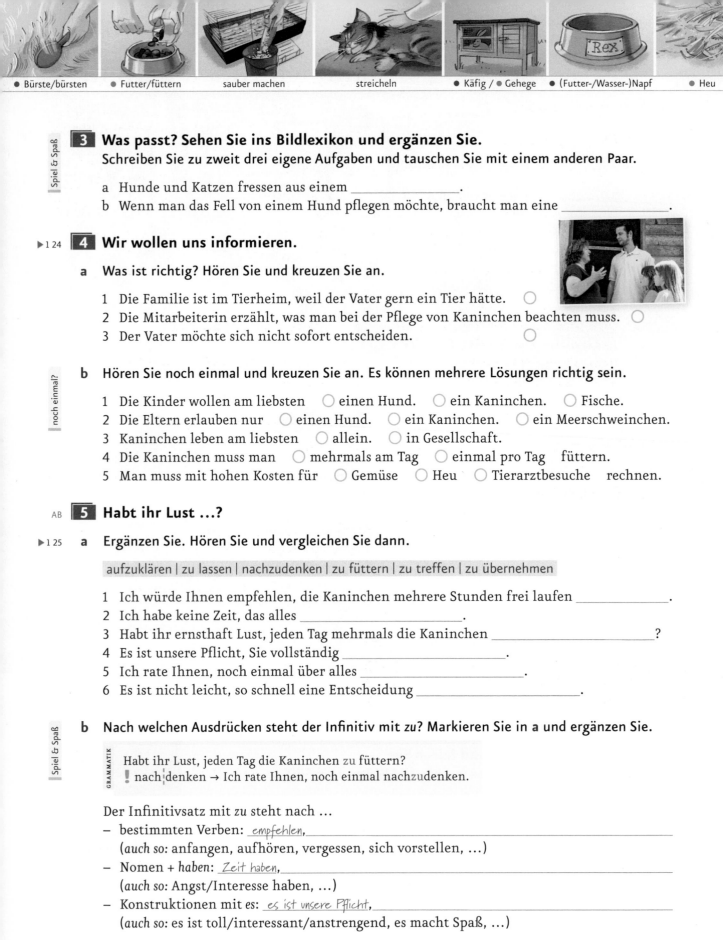

● Bürste/bürsten   ● Futter/füttern   sauber machen   streicheln   ● Käfig / ● Gehege   ● (Futter-/Wasser-)Napf   ● Heu

3 **Was passt? Sehen Sie ins Bildlexikon und ergänzen Sie.**
Schreiben Sie zu zweit drei eigene Aufgaben und tauschen Sie mit einem anderen Paar.

a Hunde und Katzen fressen aus einem _____.
b Wenn man das Fell von einem Hund pflegen möchte, braucht man eine _____.

▶1 24   **4** **Wir wollen uns informieren.**

a **Was ist richtig? Hören Sie und kreuzen Sie an.**

1 Die Familie ist im Tierheim, weil der Vater gern ein Tier hätte.   ◯
2 Die Mitarbeiterin erzählt, was man bei der Pflege von Kaninchen beachten muss.   ◯
3 Der Vater möchte sich nicht sofort entscheiden.   ◯

b **Hören Sie noch einmal und kreuzen Sie an. Es können mehrere Lösungen richtig sein.**

1 Die Kinder wollen am liebsten   ◯ einen Hund.   ◯ ein Kaninchen.   ◯ Fische.
2 Die Eltern erlauben nur   ◯ einen Hund.   ◯ ein Kaninchen.   ◯ ein Meerschweinchen.
3 Kaninchen leben am liebsten   ◯ allein.   ◯ in Gesellschaft.
4 Die Kaninchen muss man   ◯ mehrmals am Tag   ◯ einmal pro Tag   füttern.
5 Man muss mit hohen Kosten für   ◯ Gemüse   ◯ Heu   ◯ Tierarztbesuche   rechnen.

AB   **5** **Habt ihr Lust ...?**

▶1 25   a **Ergänzen Sie. Hören Sie und vergleichen Sie dann.**

aufzuklären | zu lassen | nachzudenken | zu füttern | zu treffen | zu übernehmen

1 Ich würde Ihnen empfehlen, die Kaninchen mehrere Stunden frei laufen _____.
2 Ich habe keine Zeit, das alles _____.
3 Habt ihr ernsthaft Lust, jeden Tag mehrmals die Kaninchen _____?
4 Es ist unsere Pflicht, Sie vollständig _____.
5 Ich rate Ihnen, noch einmal über alles _____.
6 Es ist nicht leicht, so schnell eine Entscheidung _____.

b **Nach welchen Ausdrücken steht der Infinitiv mit *zu*? Markieren Sie in a und ergänzen Sie.**

GRAMMATIK   Habt ihr Lust, jeden Tag die Kaninchen zu füttern?
❗ nach|denken → Ich rate Ihnen, noch einmal nachzudenken.

Der Infinitivsatz mit *zu* steht nach ...
– bestimmten Verben: _empfehlen,_ _____
  (*auch so*: anfangen, aufhören, vergessen, sich vorstellen, ...)
– Nomen + *haben*: _Zeit haben,_ _____
  (*auch so*: Angst/Interesse haben, ...)
– Konstruktionen mit *es*: _es ist unsere Pflicht,_ _____
  (*auch so*: es ist toll/interessant/anstrengend, es macht Spaß, ...)

6 **Marissa fängt bald an, mehr Sport zu machen.**
Arbeiten Sie auf Seite 161. Ihre Partnerin / Ihr Partner arbeitet auf Seite 164.

AB **7 Ein Beratungsgespräch**

a Wer sagt was? Notieren Sie: Verkäufer (V) oder Kunde (K).

○ Ich suche eine Regenjacke. Können Sie mir eine empfehlen? K

○ Ich würde die rote Jacke gern einmal anprobieren. ___

③ Hier haben wir eine Regenjacke im Angebot. Ich muss Ihnen aber sagen, dass es bei Regenjacken große Unterschiede gibt. Bei starkem Regen ist diese nicht ganz wasserdicht. Außerdem müssen Sie bedenken, dass Sie in dieser Jacke leicht schwitzen. ___

○ Ja, Sie haben recht. Das wäre gut. ___

○ Kann ich etwas für Sie tun? ___

⑤ Sie sollten auch noch berücksichtigen, dass die Jacke nicht zu schwer ist. ___

○ Dann kommt das Angebot für mich nicht infrage. ___

○ Dann würde ich Ihnen eine von diesen Jacken empfehlen. Die sind wasserdicht, atmungsaktiv und leicht. Welche Farbe wünschen Sie? ___

▶ 1 26 **b** Sortieren Sie nun das Beratungsgespräch. Hören Sie und vergleichen Sie dann.

Diktat **c** Markieren Sie die passenden Sätze in **a** und ergänzen Sie.

Verkäuferin/Verkäufer
Sie sprechen den Kunden an.

_____ /

Kann ich Ihnen helfen?

Kundin/Kunde

Sie sagen, was Sie möchten.
Ich möchte mich mal bei Ihnen umsehen
und informieren. / _____ /
Ich möchte mir ... anschaffen. Und da brauche
ich jetzt Ihren Rat.

Sie informieren den Kunden.
Hier haben wir ... im Angebot. /
Zunächst muss ich Ihnen sagen, dass
es bei ... große Unterschiede gibt. /
Außerdem sollten/müssen Sie
bedenken, dass ... / _____
_____ / Denken Sie daran, ... /
Vergessen Sie nicht, ... /

Sie reagieren auf die Beratung.

_____ /

Danke, das ist ein guter Hinweis.

Sie empfehlen etwas.
Ich rate Ihnen (also), ... /

_____

**Sie sagen, ob Sie sich entschieden
haben oder nicht.**
Das muss ich mir zu Hause noch gut überlegen. /
Da muss man ja wirklich einiges beachten. /
Ich habe mich schon entschieden.
Ich nehme ... /

_____

d Rollenspiel: Arbeiten Sie zu zweit auf Seite 162.

8 **Haustiere – Vor- und Nachteile**

a Haustiere in Deutschland, Österreich und der Schweiz. Lesen Sie den Infotext.
Wie ist das in Ihrem Land? Was meinen Sie?

> *Die Katze – Königin der Haustiere*
>
> Egal, ob in Deutschland, Österreich oder der Schweiz: Die Katze ist das beliebteste Haustier. In Deutschland gibt es über 8 Millionen Katzen, in Österreich und in der Schweiz sind es jeweils circa 1,5 Millionen. Hunde sind in allen drei Ländern auf Platz zwei zu finden: 5,4 Millionen sind es in Deutschland, ungefähr 600 000 in Österreich und fast 500 000 in der Schweiz. Auf Platz drei befinden sich die kleinen Nagetiere wie Hamster, Meerschweinchen und Kaninchen.

b Was halten Sie von Haustieren? Arbeiten Sie in Gruppen, wählen Sie ein Tier und sammeln Sie Vor- und Nachteile. Machen Sie ein Plakat und präsentieren Sie Ihre Ergebnisse im Kurs.

Ein Hund als Haustier

Vorteile	Nachteile
treuer Freund, der immer da ist	man braucht viel Zeit (erziehen, spielen, spazieren gehen)
regelmäßige Bewegung	bei jedem Wetter mit dem Hund rausgehen
passt auf das Haus auf	man muss viel Geld ausgeben (Hundesteuer, Tierarzt, …)
…	Wohin mit dem Hund, wenn man tagsüber arbeiten muss?

GRAMMATIK

Infinitiv mit zu

Habt ihr Lust, jeden Tag die Kaninchen zu füttern?
! nach|denken → Ich rate Ihnen, noch einmal nachzudenken.

Den Infinitiv mit zu verwendet man nach:

bestimmten Verben: Ich empfehle Ihnen, die Kaninchen frei laufen zu lassen.
auch so: sich vorstellen, raten, anfangen, aufhören, vergessen, …

Nomen + haben: Ich habe keine Zeit, das alles zu übernehmen.
auch so: Lust/Angst/Interesse haben, …

Konstruktionen mit es: Es ist nicht leicht, eine Entscheidung zu treffen.
auch so: es ist toll/interessant/anstrengend / unsere Pflicht, … / es macht Spaß, …

KOMMUNIKATION

Kundenberatungsgespräche

Kann ich etwas für Sie tun? / Kann ich Ihnen helfen?
Ich möchte mich mal bei Ihnen umsehen und informieren.
Ich suche … Können Sie mir einen/eines/eine empfehlen?
Ich möchte mir … anschaffen. Und da brauche ich jetzt Ihren Rat.
Hier haben wir … im Angebot.
Zunächst muss ich Ihnen sagen, dass es bei … große Unterschiede gibt.
Außerdem sollten/müssen Sie bedenken, dass …
Und Sie sollten auch noch berücksichtigen, dass …
Denken Sie daran, … / Vergessen Sie nicht, …
Danke, das ist ein guter Hinweis. Dann kommt das Angebot für mich nicht infrage. Ja, Sie haben recht.
Ich rate Ihnen (also), … Dann würde ich Ihnen … empfehlen.
Das muss ich mir zu Hause noch gut überlegen.
Da muss man ja wirklich einiges beachten.
Dann würde ich diesen/dieses/diese gern einmal anprobieren.
Ach, ich habe mich schon entschieden. Ich nehme …

"unterrichts"

Hundebaby

Sprechen: Stellung nehmen: *Das entspricht meinen Fähigkeiten.*

Lesen: Test

Wortfelder: Stärken und Schwächen

Grammatik: Konjunktionen *da, während, bevor*

▶ 1 27 **1** **Sehen Sie die Fotos an und hören Sie.**
Welchen Test macht die Person? Was meinen Sie?

Partnertest | Psychotest | Berufsfindungstest | Intelligenztest | ...

2 **Welches Bild gefällt Ihnen am besten?**

Murmeln | • Uhrwerk | • Wasserhahn | • Hundebaby
der
erst   zweite   dreit   letzt

Mir gefällt ... am besten. ...

teamfähig	flexibel *(unflexibel)*	unordentlich	unorganisiert	unpünktlich

gut mit anderen menschen arbeiten

wann mann hat alles fliegt durch die gegen

wenn man weit nicht was sollen mann machen

immer zu spät

AB

Beruf

3 Test: Welcher Beruf passt zu mir?

a Lesen Sie die Fragen und kreuzen Sie an: Welche Antwort passt am besten zu Ihnen?

Info

*Sie wissen noch nicht, was Sie später einmal werden wollen? Sie wollen herausfinden,
für welchen Beruf Sie geeignet sind? Dann machen Sie den Test!*

Und so geht's: *Test ausfüllen (jeweils nur ein Kreuzchen!) – Punkte zusammenzählen – Auswertung lesen*

Frage 1 von 8   Punkte
Welches Bild gefällt Ihnen am besten?

⊗	Hundebaby	4
○	Wasserhahn	2
○	Uhrwerk	1
○	Murmeln	3

Frage 2 von 8
*Sie wollen einer Freundin / einem Freund im Haushalt
helfen. Welche Arbeit übernehmen Sie?*

○	Ich mähe den Rasen.	2
☒	Ich koche ein leckeres Gericht.	4
○	Ich mache sauber oder räume auf.	3
~~☒~~	Ich repariere kaputte Sachen.	1

Frage 3 von 8
Was machen Sie in Ihrer Freizeit am liebsten?

☒	Ich treffe mich mit Freunden in einem Café oder gehe auf eine Party.	4
○	Ich lese ein gutes Buch.	3
○	Ich mache Sport.	2
○	Ich faulenze, sehe fern und esse Chips.	1

Frage 4 von 8
Sie müssen ein Regal aufbauen. Wie gehen Sie vor?

○	Ich lasse das lieber jemand anderen machen.	4
☒	Ich mache es selbst, auch wenn es schwierig ist.	3
○	Ich baue es genau nach Gebrauchs- anweisung.	1
○	Ich brauche keine Anleitung – Wasserwaage und Hammer genügen.	2

Frage 5 von 8   Punkte
Wie würden Sie sich selbst beschreiben?

○	freundlich und hilfsbereit	4
○	kontaktfreudig und lustig	3
○	zielstrebig und diszipliniert	1
☒	optimistisch und ehrlich	2

Frage 6 von 8
Arbeit macht so richtig Spaß, wenn ...

○	... ich anderen Menschen helfen kann.	4
○	... ich richtig zupacken muss – auch wenn ich dabei schmutzig werde.	2
☒	... ich eigene Ideen einbringen kann.	3
○	... ich konkrete Lösungen für praktische Probleme finden muss.	1

Frage 7 von 8
Welcher Beruf hat Ihnen als Kind am besten gefallen?

○	Astronaut/in	1
○	Feuerwehrmann/Feuerwehrfrau	2
☒	Tierarzt/Tierärztin	4
☒	Schriftsteller/in	3

oder

Frage 8 von 8
Wie verhalten Sie sich allein auf einer Party?

○	Ich gehe selten allein auf eine Party. Lieber nehme ich einen Freund mit, der sonst allein zu Hause ist.	4
☒	Ich stehe schüchtern in der Ecke und halte mich an meinem Glas fest.	1
○	Ich rede mit möglichst vielen Leuten, auch mit Fremden.	3
☒	Ich rede nur mit Leuten, die ich kenne.	2

Modul 3   52 | zweiundfünfzig

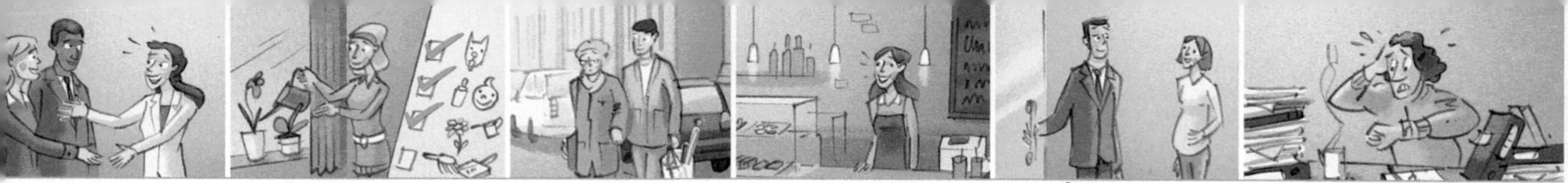

| kontaktfreudig | (un) zuverlässig | hilfsbereit | (un)freundlich | (un) höflich | gestresst |

[handwritten: immer alles macht / aware] *[handwritten: nett]* *[handwritten: polite / respekt haben]*

[margin left, top: interessant?]

b Zählen Sie Ihre Punkte und lesen Sie die passende Auswertung.

8–14 Punkte: Der technische Typ

Bevor Sie nicht herausgefunden haben, wie etwas funktioniert, geben Sie keine Ruhe. Dabei können Sie stundenlang vor sich hin arbeiten. Kontakt mit Menschen oder Abwechslung sind Ihnen nicht so wichtig. Für Sie eignen sich alle technischen Berufe und naturwissenschaftlichen Studiengänge.

15–20 Punkte: Der handwerkliche Typ

Es macht Ihnen nichts aus, auch mal schmutzig zu werden – Hauptsache, Sie haben Spaß an der Arbeit. Während andere noch nachdenken, haben Sie die Arbeit schon erledigt. Für Sie ist ein Ausbildungsberuf besser als ein Studium, da Sie nicht gern am Schreibtisch sitzen.

21–26 Punkte: Der kreative Typ

Ihr Motto: Bloß keine Langeweile aufkommen lassen! Sie brauchen einen Beruf, der viel Abwechslung mit sich bringt. Da Sie Ihre Freiheit lieben und gern Ihren Kopf durchsetzen, ist eine selbstständige Arbeit die richtige für Sie. Designer, Architekt oder auch Journalist sind Berufe, die gut zu Ihnen passen.

[handwritten: Nebensatz] *[handwritten: Hauptsatz]* *[handwritten: Eine selbstständige Arbeit die ..., da sie ihre ...]*

27–32 Punkte: Der soziale Typ

Während Sie kochen, überlegen Sie genau, wem was schmeckt. Bevor es nicht *allen* gut geht, geht es Ihnen auch nicht gut. Kontakt mit Menschen ist Ihnen sehr wichtig, da Sie nicht gern allein sind. Für Sie kommen alle Pflegeberufe infrage. Außerdem Studiengänge wie Pädagogik, soziale Arbeit oder Psychologie.

[margin left: Diktat]

GRAMMATIK

da ≈ weil
Für Sie ist ein Ausbildungsberuf besser als ein Studium, da Sie nicht gern am Schreibtisch sitzen.

c Passt das Ergebnis zu Ihnen?
Machen Sie Notizen zu den Fragen und erzählen Sie.

① Welcher Typ sind Sie? ② Passt das zu Ihnen? ③ Warum / Warum nicht?

KOMMUNIKATION

Das Ergebnis / Der Test sagt, dass ich ein … Typ bin.
Das kann ich mir gar nicht / gut vorstellen.
Das hätte ich nicht erwartet. / Das passt sehr gut / überhaupt nicht.
Das entspricht meinen Fähigkeiten / mir (nicht).
Für technische/soziale/… Berufe bin ich sehr gut / eher nicht geeignet.
Da ich gern mit meinen Händen arbeite, passt das Ergebnis überhaupt nicht / gut zu mir.
Ich denke eher, dass ich technisch/handwerklich/… begabt bin.

4 Wörter im Text verstehen: Arbeiten Sie zu zweit auf Seite 163.

[margin left: AB]

5 *bevor* und *während*

Welche Zeichnung passt? Verbinden Sie. Arbeiten Sie dann zu zweit auf Seite 165.

[margin left: Spiel & Spaß]

GRAMMATIK

		Handlung A	Handlung B	
Handlung A findet vor Handlung B statt:		Ich frühstücke,	bevor ich zur Arbeit fahre.	Ⓐ
Die Handlungen A und B finden gleichzeitig statt:		Ich frühstücke,	während ich zur Arbeit fahre.	Ⓑ

AB **6** **Berufsberatung**

a Was sind Ihre Stärken und Schwächen? Notieren Sie. Hilfe finden Sie im Bildlexikon.

Stärken ☺	Schwächen ☹
1 bin gern mit Menschen zusammen	1 nicht besonders kreativ
2 teamfähig	2 ungeduldig
3 hilfsbereit	3 unordentlich
4 arbeite gern mit meinen Händen	4 ...

b Arbeiten Sie in Gruppen. Erzählen Sie von Ihren Stärken und Schwächen. Welche Berufe passen dazu?

■ Ich bin gern mit Menschen zusammen. Ich bin teamfähig und kann mir nicht vorstellen, allein zu arbeiten. Außerdem bin ich hilfsbereit und arbeite gern mit meinen Händen. Besonders kreativ bin ich nicht. Und ich bin nicht geduldig und leider auch ziemlich unordentlich.

▲ Vielleicht solltest du Krankenpfleger werden?

● Nein, das passt nicht, aber ...

GRAMMATIK

Konjunktion da

	Grund	
Für Sie ist ein Ausbildungsberuf besser als ein Studium,	da Sie nicht gern am Schreibtisch	sitzen.

Konjunktionen bevor und während

	Handlung A	Handlung B	
Handlung A findet vor Handlung B statt.	Ich frühstücke,	bevor ich zur Arbeit	fahre.
Die Handlungen A und B finden gleichzeitig statt.	Ich frühstücke,	während ich zur Arbeit	fahre.

KOMMUNIKATION

Stellung nehmen

Das Ergebnis / Der Test sagt, dass ich ein ... Typ bin.
Das kann ich mir gar nicht / gut vorstellen.
Das hätte ich nicht erwartet.
Das passt sehr gut / überhaupt nicht.
Das entspricht meinen Fähigkeiten / mir (nicht).
Für technische/soziale/... Berufe bin ich sehr gut / eher nicht geeignet.
Da ich gern mit meinen Händen arbeite, passt das Ergebnis überhaupt nicht / gut zu mir.
Ich denke eher, dass ich technisch/ handwerklich/... begabt bin.

er meditiert weil er gestresst ist

1 Schließ deine Augen!

a Sehen Sie das Foto an. Wo ist der Mann und was macht er? Was meinen Sie?

> Ich vermute, dass der Mann sehr viel Stress hat und Entspannung braucht. Er ist ...

▶ 1 28 b Hören Sie und vergleichen Sie mit Ihren Vermutungen aus a.

2 Wie ist das bei Ihnen? Erzählen Sie.

> Ich mache mit einigen Kollegen oft Sport in der Mittagspause. Wir spielen Tischtennis.

Hören/Sprechen: eine Präsentation halten: *Und damit komme ich zum nächsten Punkt.*

Lesen: Programm zur Gesundheitsförderung

Wortfelder: Gesundheit, Sport, Ernährung

Grammatik: Adjektivdeklination mit Komparativ und Superlativ: *der beste Arbeitsplatz*

regelmäßige ● Mahlzeiten   gesunde ● Nahrungsmittel   ● Aerobic   gute ● Abwehrkräfte   ● Tageslicht   ● Sauerstoff / frische ●

AB **3** ## Sie möchten etwas für Ihre Gesundheit tun. Was können Sie machen?
Sammeln Sie Ideen. Hilfe finden Sie auch im Bildlexikon.

viel Obst und Gemüse · Sauna · Bewegung · **Gesundheit** · Entspannung

AB **4** ## Regeln im Unternehmen

a **Zu welchem Thema passen die Regeln? Überfliegen Sie die Regeln und ordnen Sie zu.**

Arbeitsbedingungen: _1, 8,_   Ernährung: _____

Bewegung/Entspannung: _____   Beratung: _____

Die Unternehmensleitung informiert:
Die Gesundheit und Zufriedenheit von unseren Mitarbeitern stehen an erster Stelle.

Unsere 10 Goldenen Regeln:

1) DER BESTE ARBEITSPLATZ
Wir wollen, dass Sie sich bei uns wohlfühlen. Sitzen Sie lieber auf einem Ball oder auf einem Schreibtischstuhl? Hätten Sie gern längere oder kürzere Pausen? Wir erarbeiten gemeinsam mit Ihnen Ihre individuellen Arbeitsbedingungen.

2) RICHTIGES ESSEN
In unserer Kantine finden Sie gesunde Mahlzeiten, die wir nach den neuesten wissenschaftlichen Erkenntnissen zusammenstellen. Auch Allergiker und Vegetarier sind bei uns bestens versorgt!

3) WASSER IST LEBEN
Versorgen Sie Ihren Körper und den Kreislauf mit Wasser! Wir bieten auf jeder Etage an mehreren Orten Flaschen mit frischem Wasser an.

4) REGELMÄSSIGES TRAINING
Sport stärkt die Abwehrkräfte, reduziert Stress und trägt zu einem größeren Wohlbefinden bei. Nutzen Sie unser Fitnessangebot. Sie können aus verschiedenen Angeboten von Aerobic bis Zumba Ihr persönliches Programm zusammenstellen.

5) FRISCHE LUFT UND LICHT
Sie sitzen die meiste Zeit in Ihrem Büro? Sauerstoff macht munter und fit! Daher finden die meisten unserer Fitnessangebote im Freien statt.

6) ZUM AUSGLEICH: ENTSPANNUNG
Machen Sie mindestens eine kurze Entspannungsübung pro Tag. Anleitungen finden Sie in unserem Intranet.

7) RISIKO SUCHTMITTEL ?
Tatsache ist, dass jede Schachtel Zigaretten Ihrer Gesundheit schadet! Nutzen Sie unsere Angebote und werden Sie Nichtraucher. Unsere Ansprechpartnerin für Suchtverhalten ist immer für Sie da.

8) GESUNDE BEZIEHUNGEN
Die Arbeitswelt ist ein Netzwerk aus Beziehungen. Ein wichtiger Faktor für Gesundheit ist, dass wir uns in diesem Netz wohlfühlen. Wir unterstützen Sie mit Weiterbildungsangeboten!

9) JA ZUM LEBEN
Menschen, die positiv und selbstbewusst im Leben stehen, sind weniger anfällig für Stress. Unser psychologisches Expertenteam ist für Sie da, wenn die Situation mal etwas schwieriger wird.

10) VEREINBARKEIT VON FAMILIE UND BERUF
Wir wollen unser Unternehmen noch familienfreundlicher machen: Homeoffice, unser Kinderhaus, Angebote für Arbeitnehmer ab 55 und vieles mehr. Sprechen Sie mit unserer Personalabteilung über Ihre Bedürfnisse.

b Was ist richtig? Lesen Sie den Text noch einmal und kreuzen Sie an.

1 Bei den Arbeitsbedingungen sind individuelle <u>Lösungen</u> möglich.   ⊗

2 In der Kantine gibt es gesunde und vegetarische Mahlzeiten. Nur Allergiker kann
   die Firma nicht berücksichtigen.   ○

3 Die Mitarbeiter können zwischen verschiedenen Fitnessangeboten wählen,
   die alle im Freien stattfinden.   ⊗

4 Im Intranet werden Anleitungen zu kurzen Entspannungsübungen angeboten.   ⊗

5 Alle Mitarbeiter, die mit dem Rauchen aufhören wollen, können dabei
   <u>Unterstützung</u> erhalten.   ⊗

6 Es gibt Seminare, in denen es um das <u>Verhältnis</u> der Kollegen untereinander geht.   ○

7 In schwierigen Zeiten kann man auch psychologische Beratung bekommen.   ⊗

8 Das Unternehmen hilft den Mitarbeitern dabei, Karriere und Familie zu verbinden.   ⊗

AB **5 Lesen Sie die Tabelle und ergänzen Sie.**

a Der ~~gutesten~~ *(besten)* *Beste* (gut +++) Arbeitsplatz der Welt. *(ein) beste*

b Hätten Sie gern _____*längere*_____ (lang ++) oder _____*kürzere*_____
   (kurz ++) Pausen?

c Unsere Mahlzeiten stellen wir nach den <u>*neuesten*</u> (neu +++) wissenschaftlichen
   Erkenntnissen zusammen.

d Sport trägt zu einem _____*größeren*_____ (groß ++) Wohlbefinden bei.

GRAMMATIK

+	++	+++
klein	kleiner	am kleinsten
! gut	besser	am besten

Adjektivdeklination: Komparativ (++) und Superlativ (+++)

GRAMMATIK

	Nominativ		Akkusativ		Dativ		
●	der	kleinere/kleinste	den	kleineren/kleinsten	dem	kleineren/kleinsten	Stuhl
	ein	kleinerer	einen	kleineren	einem	kleineren	
●	das	kleinere/kleinste	das	kleinere/kleinste	dem	kleineren/kleinsten	Haus
	ein	kleineres	ein	kleineres	einem	kleineren	
●	die	kleinere/kleinste	die	kleinere/kleinste	der	kleineren/kleinsten	Hand
	eine	kleinere	eine	kleinere	einer	kleineren	
●	die	kleineren/kleinsten	die	kleineren/kleinsten	den	kleineren/kleinsten	Stühle(n)
	–	kleinere/kleinste	–	kleinere/kleinste	–	kleineren/kleinsten	

6 Welche Regeln wären Ihnen am wichtigsten?
Arbeiten Sie zu viert. Notieren Sie zwei Regeln aus dem Text in 4a, die Ihnen wichtig sind.
Einigen Sie sich dann in Ihrer Gruppe auf die drei wichtigsten Regeln.

■ Mir ist der fünfte Punkt sehr wichtig. Ich werde schnell müde,
   wenn ich zu wenig draußen an der frischen Luft bin.

▲ Das ist für mich nicht so wichtig. Ich habe eine kleine Tochter und würde gern
   wieder arbeiten. Deshalb ist mir die Regel zehn am allerwichtigsten. ...

WIEDERHOLUNG

Spiel & Spaß

regelmäßige ● Mahlzeiten   gesunde ● Nahrungsmittel   ● Aerobic   gute ● Abwehrkräfte   ● Tageslicht   ● Sauerstoff / frische ●

▶1 29   **7** **Ich möchte Ihnen unser Konzept vorstellen.**

AB

a Lesen Sie, hören Sie die Präsentation und sortieren Sie die Folien.

Der Traditionsbetrieb *Fürstenrieder Confiserie* nahm heute einen Preis für „Vorbildliches Gesundheitsmanagement im Betrieb" entgegen. Der Preis wird jährlich von den Krankenkassen verliehen. Der Geschäftsführer Jürgen Hartmann bedankt sich und erläutert sein Konzept.

○

> Unser Gesundheits-
> management:
> Die „10 Goldenen Regeln"
>
> FÜRSTENRIEDER CONFISERIE

> Leitsatz der
> *Fürstenrieder Confiserie:*
> „Die Gesundheit und
> Zufriedenheit von unseren
> Mitarbeitern stehen an
> erster Stelle".
>
> FÜRSTENRIEDER CONFISERIE

①

○

> Weitere Informationen
> und Dank
>
> FÜRSTENRIEDER CONFISERIE

○

> Vorteile und Umsetzung
>
> FÜRSTENRIEDER CONFISERIE

○

> Nur mit gesunden und
> zufriedenen Mitarbeitern
> kann unser Betrieb in Zukunft
> funktionieren.
>
> FÜRSTENRIEDER CONFISERIE

b Hören Sie noch einmal und verbinden Sie.

1 Der Geschäftsführer Jürgen Hartmann hält einen Vortrag,

2 Das Unternehmen rechnet damit,

3 Der Betrieb mit älteren Mitarbeitern funktioniert nur,

4 Die „10 Goldenen Regeln" werden

5 Das Konzept bringt dem Unternehmen Vorteile:

6 Das Konzept verursacht Kosten,

dass das Durchschnittsalter von den Mitarbeitern in wenigen Jahren steigen wird.

von den Mitarbeitern schon in die Praxis umgesetzt.

weil das Unternehmen *Fürstenrieder Confiserie* einen Preis für sein Gesundheitsmanagement erhalten hat.

Die Mitarbeiter sind seltener krank.

aber kranke Mitarbeiter sind noch teurer.

wenn die Mitarbeiter gesund bleiben.

noch einmal?

AB   **8**   **Soll man das Rauchen in allen Betrieben verbieten?**

a   Sie wollen das Thema präsentieren. Was wollen Sie sagen? Machen Sie Notizen.

1   Meine persönlichen Erfahrungen: *rauche nicht, arbeite im Büro, …*
2   Raucher und Nichtraucher in meinem Heimatland: *viele Raucher, am Arbeitsplatz nicht verboten …*
3   Vor- und Nachteile und meine Meinung: *bin für ein Rauchverbot*

b   Für Ihre Präsentation finden Sie hier fünf Folien. Welche Redemittel wollen Sie bei den Folien verwenden? Lesen Sie die Anweisungen und notieren Sie die Redemittel auf Kärtchen.

Diktat

① Soll man das Rauchen in allen Betrieben verbieten?

② Meine persönlichen Erfahrungen

③ Raucher und Nichtraucher in meinem Heimatland

④ Vor- und Nachteile & meine Meinung

⑤ Abschluss & Dank

1   Stellen Sie Ihr Thema vor.
Erklären Sie den Inhalt und die Struktur Ihrer Präsentation.

2   Berichten Sie von Ihrer Situation oder einem Erlebnis im Zusammenhang mit dem Thema.

3   Berichten Sie von der Situation in Ihrem Heimatland und geben Sie Beispiele.

4   Nennen Sie Vor- und Nachteile und sagen Sie dazu Ihre Meinung. Geben Sie auch Beispiele.

5   Beenden Sie Ihre Präsentation und bedanken Sie sich bei den Zuhörern.

> In meiner Präsentation geht es um das Thema …
> Zum Inhalt meiner Präsentation: Zunächst/Zuerst möchte ich Ihnen erläutern, …
> Danach zeige ich Ihnen …
> Anschließend möchte ich auf … eingehen.
> Zum Schluss können Sie natürlich Fragen stellen.
> Und damit/nun komme ich zum nächsten/letzten Punkt / zu meinen persönlichen
>   Erfahrungen / zur Situation in meinem Heimatland / zu den Vor- und Nachteilen.
> Als ich das letzte Mal …, habe ich Folgendes erlebt: …
> Ich habe die Erfahrung gemacht, dass …
> … spielt eine große Rolle / keine Rolle in meinem Heimatland.
> Meiner Ansicht/Meinung nach …
> Ich bin nun mit meinem Vortrag am Ende. Haben Sie noch Fragen?
> Ich danke Ihnen fürs Zuhören. / Besten Dank für Ihre Aufmerksamkeit. / Ihr Interesse.

KOMMUNIKATION

c   Üben Sie Ihre Präsentation erst zu zweit. Halten Sie sie dann im Kurs.

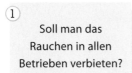

In meiner Präsentation geht es um das Thema Rauchen im Betrieb. Zunächst möchte ich Ihnen erläutern, …

AB **9** **Entspannungsübungen**

▶ 1 30 **a** Welche Anweisungen hören Sie?
Hören Sie die Büro-Tiefenentspannung
noch einmal und markieren Sie.

> Leg/Setz/Stell dich bequem hin! | Schließ deine Augen! |
> Atme einige Male tief ein und aus! | Zieh die Schultern
> hoch! | Spann die Schultern an! | Spür die Anspannung! |
> Lass die Schultern langsam sinken! | Spür die Entspannung! |
> Senk den Kopf nach vorne! | Bring den Kopf wieder zur
> Mitte! | Entspann dein Gesicht! | Falt die Hände hinter dem
> Kopf! | Heb den Brustkorb langsam! | Halt den Brustkorb
> oben! | Senk den Brustkorb wieder!

b Schreiben Sie eine eigene Entspannungsübung. Lesen Sie sie dann vor.
Ihre Partnerin / Ihr Partner probiert die Übung aus.

GRAMMATIK

Audiotraining | *Karaoke*

Adjektivdeklination: Komparativ (++) und Superlativ (+++)			
Nominativ	**Akkusativ**	**Dativ**	
• der kleinere/ kleinste	den kleineren/ kleinsten	dem kleineren/ kleinsten	Stuhl
ein kleinerer	einen kleineren	einem kleineren	
• das kleinere/ kleinste	das kleinere/ kleinste	dem kleineren/ kleinsten	Haus
ein kleineres	ein kleineres	einem kleineren	
• die kleinere/ kleinste	die kleinere/ kleinste	der kleineren/ kleinsten	Hand
eine kleinere	eine kleinere	einer kleineren	
• die kleineren/ kleinsten	die kleineren/ kleinsten	den kleineren/ kleinsten	Stühle(n)
– kleinere/ kleinste	– kleinere/ kleinste	– kleineren/ kleinsten	

KOMMUNIKATION

eine Präsentation halten

Einleitung

In meiner Präsentation geht es um das
 Thema ...
Zum Inhalt meiner Präsentation:
Zunächst/Zuerst möchte ich Ihnen
 erläutern, ...
Danach zeige ich Ihnen ...
Anschließend möchte ich auf ... eingehen.
Abschließend können Sie Fragen stellen.

Übergänge

Und damit/nun komme ich zum nächsten/
 letzten Punkt / zu meinen persönlichen
 Erfahrungen / zur Situation in meinem
 Heimatland / zu den Vor- und Nachteilen.
Als ich das letzte Mal ..., habe ich Folgen-
 des erlebt: ...
Ich habe die Erfahrung gemacht, dass ...
... spielt eine große Rolle / keine Rolle in
 meinem Heimatland.
Meiner Ansicht/Meinung nach ...

Abschluss

Ich bin nun mit meinem Vortrag am Ende.
 Haben Sie noch Fragen?
Ich danke Ihnen fürs Zuhören! / Besten
 Dank für Ihre Aufmerksamkeit. / Ihr
 Interesse.

Strick ist schick!

**STARTup! hat mit dem Jungunternehmer Patrick Beeking gesprochen.
Ein Gespräch über strickende Männer, regionale Produkte und soziale Verantwortung.**

Nachdem Stricken lange ein Hobby für Großmütter war, erlebt Gestricktes plötzlich eine ungeahnte Renaissance. Selbst Männer trauen sich an die Nadeln. Patrick Beeking hat daraus sogar seinen Beruf gemacht und ein Unternehmen gegründet. Wir treffen ihn in einem ehemaligen Bauernhof. An langen Tischen sitzen Männer und Frauen und stricken.

Herr Beeking, strickende Männer? Ein ungewöhnlicher Anblick. Wie kam es dazu?

Tja, das ist eine lustige Geschichte. Nach der Schule hatte ich Schwierigkeiten, mich auf einen Beruf festzulegen. Also habe ich mich entschieden, zuerst eine Reise zu machen. Das war die beste Entscheidung meines Lebens.

Und dann?

Ich bin nach Südamerika geflogen, um dort zu wandern. Da ich kein Geld hatte, um mir neue Kleidung zu kaufen, habe ich selbst gestrickte Sachen von meiner Oma mitgenommen: Socken, eine Strickjacke und eine Mütze. Unterwegs haben mich dann viele Wanderer auf die schönen Sachen angesprochen. Manchen habe ich versprochen, meine Oma zu fragen, ob sie ihnen auch etwas strickt. Ich habe den Leuten die Sachen dann später geschickt. Aber bald wurde das meiner Oma zu viel. Also habe ich andere Frauen im Dorf gebeten, mitzumachen. Dann haben wir auch Geld verlangt.

Wie finden Sie Ihre Kunden?

Unser Hauptgeschäft läuft über die Homepage. Man kann aber auch telefonisch bestellen oder im Hofladen vorbeikommen.

Wer kauft bei Ihnen ein?

Vielen ist es wichtig, zu wissen, wo etwas hergestellt wird. Sie kaufen lieber regionale Produkte als Kleidung, die etwa durch Kinderarbeit hergestellt wurde.

Ist Ihre Kleidung nicht sehr teuer?

Meiner Ansicht nach ist es billiger, teurere Ware zu kaufen. Das klingt erst mal widersprüchlich. Die Industrie stellt immer kostengünstiger her. Aber wir bieten noch gute, alte Handarbeit an, die ein Leben lang hält. Das ist langfristig billiger.

Herr Beeking, wäre es nicht billiger, im Ausland zu produzieren?

Das schon. Aber ich finde es wichtig, als Unternehmer auch soziale Verantwortung zu übernehmen. Es ist doch schön, dass unsere älteren Dorfbewohner wieder eine Aufgabe haben. Sie werden gebraucht, kommen in Kontakt und geben ihr Wissen weiter.

Was würden Sie anderen empfehlen, die ein Start-up gründen wollen?

Am wichtigsten ist es, von der eigenen Idee überzeugt zu sein. Außerdem kann ich nur empfehlen, jemanden dazu zu holen, der sich gut mit Finanzen auskennt. Und denken Sie daran, dass es zwar anstrengend ist, selbstständig zu sein, aber dafür ist man auch freier.

---

1 **Was ist richtig? Lesen Sie das Interview und kreuzen Sie an.**

a Patrick Beeking wusste nach der Schule ○ ganz genau, ○ nicht so genau, in welcher Branche er arbeiten wollte.

b Seine Oma hat mit dem Stricken ○ Geld ○ kein Geld verdient.

c Viele Kunden sind ○ sehr ○ nicht besonders daran interessiert, wie die Produktionsbedingungen aussehen.

d Der Verkaufspreis seiner Handarbeiten ist ○ niedriger ○ höher als der von Industriewaren.

e Patrick denkt ○ manchmal ○ nicht über eine Produktion im Ausland nach.

2 **Wie finden Sie die Geschäftsidee von Patrick Beeking?**

▶ Clip 3 **1** **Hueber – Freude an Sprachen**

a Sehen Sie den Anfang des Films (bis 0:35) und beantworten Sie die Fragen.

1 Welche Sprachen erkennen Sie?
2 Was macht der Hueber Verlag?

b Was passt? Was meinen Sie? Ordnen Sie zu.
Sehen Sie dann den Film weiter (0:36 – 1:45) und vergleichen Sie.

Michaela Hueber　　　Max Hueber　　　Ernst Hueber

1 gründet 1921 den Verlag und verlegt bis zum 2. Weltkrieg einige hundert Titel.

2 baut den Verlag nach dem 2. Weltkrieg wieder auf und legt den Schwerpunkt der Arbeit auf Fremdsprachen.

3 führt als Enkelkind des Firmengründers heute das Unternehmen.

2 **Die Produkte**

a Was ist richtig? Diskutieren Sie mit Ihrer Partnerin / Ihrem Partner und kreuzen Sie an.

1 Die „Deutsche Sprachlehre für Ausländer" war früher das Standardlehrwerk für Deutsch als Fremdsprache.
2 Sprachlernmaterialien in gedruckter Form gibt es nicht mehr so häufig.
3 Seit Anfang der 90er-Jahre hat der Verlag im Online-Bereich auch interaktive Sprachlernmaterialien im Angebot.
4 Auch für Tablet- und Smartphone-Nutzer gibt es Materialien.

▶ Clip 3 **b** Sehen Sie dann den Film weiter (1:46 – 3:00) und vergleichen Sie.

▶ Clip 3 **3** **Das Familienunternehmen**

a Welche Angebote hat der Verlag für die Mitarbeiter? Sehen Sie den Film ohne Ton weiter (ab 3:01), notieren Sie und vergleichen Sie mit Ihrer Partnerin / Ihrem Partner.

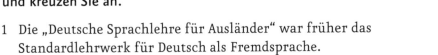

b Sehen Sie den Rest des Films nun mit Ton (ab 3:01) und vergleichen Sie mit Ihren Notizen aus **a**.

c Und Sie? Welche Sprachen sprechen Sie und welche würden Sie gern noch lernen?

Arbeitgeberattraktivität – was Mitarbeiter anzieht

Unternehmen müssen heute einiges bieten, wenn sie die besten
Mitarbeiter anlocken und auch für eine lange Zeit halten wollen.
Doch welche Faktoren machen einen attraktiven Arbeitgeber aus?

Geld allein macht nicht glücklich

5 Ob ein Arbeitgeber attraktiv ist, hängt von den persönlichen Erwartungen einer Mitarbeiterin / eines Mit-
arbeiters ab. Zahlreiche Untersuchungen, die sich mit
den unterschiedlichsten Aspekten von Arbeitgeberat-
traktivität beschäftigt haben, nennen folgende Faktoren,
10 die einen attraktiven Arbeitgeber ausmachen: angemessenes Gehalt, interessante
Aufgaben, gute Aufstiegsperspektiven innerhalb des Unternehmens, Weiterbildungs-
angebote, ein gutes Betriebsklima und Kollegialität, Wertschätzung und Anerken-
nung, Klarheit und Transparenz in der Kommunikation und Information, hohe
Eigenverantwortung, flexible Arbeitszeiten, Familienfreundlichkeit etc. Außerdem
15 gewinnen freiwillige Nebenleistungen wie betriebliche Gesundheits- oder Alters-
vorsorgeprogramme ebenfalls an Bedeutung.
Interessant ist, dass das Gehalt zwar eine wichtige, aber nicht alles entscheidende
Rolle hat. Was sich Mitarbeiter vor allem wünschen, sind die sogenannten weichen
Faktoren. Besonders hoch im Kurs stehen flexible Arbeitszeitmodelle, eine sinn-
20 volle Tätigkeit, der Wunsch nach Freiheit, Individualität und Selbstverwirklichung
sowie ein interessantes Netzwerk von Kollegen.

1 **Welche Faktoren spielen bei der Wahl des Arbeitgebers eine Rolle?**
Lesen Sie und markieren Sie.

2 **Unser perfekter Arbeitgeber**

a Welche Faktoren sind Ihnen wichtig? Sammeln Sie in Gruppen.

Betriebsausflüge

Kindergarten

Unser perfekter Arbeitgeber — Betriebsklima

...

Familienfreundlichkeit

viele Cafés

Stadtzentrum — Umgebung

b Machen Sie ein Poster: Suchen Sie passende Bilder/Fotos
und schreiben Sie Texte. Präsentieren Sie Ihren perfekten
Arbeitgeber im Kurs.

AUSKLANG

Refrain

Ich kenn' da ein Hotel ...
Dort kriegen Sie ganz gewiss
den allerbesten Service,
dazu täglich Vollpension.
Ich weiß das, denn ich wohn' da schon!

Es gibt nur einen Haken,
nein, keine Kakerlaken!
Oft kommt die Chefin auf mein Zimmer
und die Gute nörgelt immer:

1 „Hör auf, dein Radio laut _zu drehen_!
Versuch doch, früher _auf stehen_!

Ich bitte dich, jetzt _aufzuräumen_,
und das nicht ständig _zu versäumen_!

Ich hasse es, dich _zu ermahnen_,
doch musst du deine Zukunft planen!

Auf Folgendes muss ich bestehen:
Die Socken vor dem Waschen _um uns zu drehen_!
umdrehen

2 Es wäre ratsam, öfter mal _zu lüften_!
Trag deine Hose nicht auf deinen Hüften!

Es ist nicht gut, nur Chips _zu essen_,
und doof, das Zähneputzen _zu vergessen_!

Ich verbiete dir noch, _aus zu gehen_,
bis spät nachts noch _fernsehen_!"
_zu_

Das klingt schrecklich - ich geb's zu!
Die Gute lässt mich nie in Ruh'.

3 Doch der Rest ist ganz famos
und mein Zimmer kostenlos!
Außerdem das Positive:
Wäschewaschen inklusive!

Klingt das nicht alles wunderbar?
Wie das Hotel heißt? Ist doch klar:
Es heißt „Hotel Mama"!

▶1 31 **1** **Ergänzen Sie die passenden Infinitive mit zu.**
Hören Sie dann das Lied und vergleichen Sie.

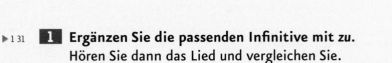

aufräumen | aufstehen | ausgehen | drehen | ermahnen | essen |
fernsehen | lüften | umdrehen | vergessen | versäumen

▶1 31 **2** **Hören Sie das Lied noch einmal und singen Sie mit.**

Hätte ich das bloß anders gemacht! | 10

Hören/Sprechen:
Enttäuschung ausdrücken:
Ich habe mich so geärgert!;
auf Enttäuschung reagie-
ren: *Oh je, das ist ja wirklich
dumm gelaufen.*

Schreiben: Kommentar

Wortfeld: Pannen im
Alltag

Grammatik: Konjunktiv II
Vergangenheit: *Hätte ich
doch bloß …!*

1 Jetzt seid ihr dran!

a Sehen Sie das Foto an. Wo ist der Mann und was macht er?
Was meinen Sie?

▶ 1 32 b Hören Sie und vergleichen Sie mit Ihren Vermutungen in a.

2 Und Sie? Erzählen Sie.

a Hören Sie gern Radio? Wann und wie oft?
b Was hören Sie im Radio?
c Haben Sie schon einmal in einer Radiosendung angerufen oder
eine E-Mail an einen Radiosender geschrieben?

- Bus verpassen   - Portemonnaie vergessen   - Schlüssel stecken lassen   - Benzintank ist leer

AB **3** **Dumm gelaufen!**

▶ 1 33–36 **a** Wovon erzählen die vier Zuhörer? Hören Sie die Radiosendung und ordnen Sie die Sätze den Radiobeiträgen zu. Nicht alle Sätze passen.

② Von einer Rede, die man nicht gehalten hat. | ○ Von einem Traummann, den man nicht angesprochen hat. | ○ Von einer Wohnung, für die man sich zu spät entschieden hat. | ○ Von einer Freundin, die Probleme mit ihrer Wohnung hat. | ○ Von einer Hochzeit, zu der man zu spät kommt. | ○ Von einer Rede, die dem Vater nicht gefallen hat. | ○ Von einem Mann, der sich unglücklich verliebt hat. | ○ Von einem Bus, den man verpasst hat, und einer nassen Trauzeugin.

▶ 1 33–36 **b** Hören Sie noch einmal und korrigieren Sie.

noch einmal?

1 Gleich die erste Wohnung, die Daniel und seine Freundin besichtigt haben, war perfekt. Aber Daniel wollte auf keinen Fall die erste Wohnung nehmen, weshalb sie noch weitere Wohnungen besichtigt haben.
Am liebsten wären sie in die letzte Wohnung gezogen, die sie besichtigt haben, aber die war leider schon weg.

2 Lisa hat an der Rede zum 50. Geburtstag von ihrem Vater wochenlang geschrieben. Sie hat die Rede nicht gehalten, weil sie zu ~~schlecht vorbereitet~~ war. *nervös*

3 Annette musste im strömenden Regen über eine Viertelstunde auf den nächsten Bus warten.
Zur Hochzeit von ihrer besten Freundin hat sie es noch geschafft. Aber das Kleid war völlig ruiniert.

4 Iris hat ihren Traummann in einer Bar getroffen und ihn angesprochen.
Später trifft sie den Mann zufällig auf einer Party wieder. Er und eine Bekannte von Iris sind jetzt ein Paar.
Im Gespräch bemerkt Iris, dass er nur dummes Zeug redet, und ärgert sich nur noch darüber, dass sie einen Monat an ihn gedacht hat.

c Ist Ihnen schon einmal etwas Ähnliches passiert? Erzählen Sie.

AB **4** **Hätte ich doch bloß …**

Spiel & Spaß

a Ergänzen Sie die richtige Form von *hätte* oder *wäre* und das passende Verb.

hätte   hätte   wäre   wäre   hätte

angesprochen | ~~genommen~~ | gewesen | losgegangen | probiert
speak   take   be   go away   try

GRAMMATIK

Konjunktiv II Vergangenheit: Irreale Wünsche

Hätten   wir doch bloß gleich die erste Wohnung *genommen*!
Hätte   ich es doch wenigstens   *angesprochen*   !
Hätte   ich doch nur etwas mutiger   *probiert*   !   *braver*
Wäre   sie doch nur rechtzeitig   *losgegangen*   !   *timely / punctual*
Wärest   du deinen Traummann doch   *gewesen*   !

● Batterie ist leer / ● Motor startet nicht   ● Pullover zu heiß waschen   im ● Stau stehen   geblitzt werden

Spiel & Spaß

b Sehen Sie ins Bildlexikon und schreiben Sie mit Ihrer Partnerin / Ihrem Partner irreale Wünsche. Tauschen Sie Ihre Sätze dann mit einem anderen Paar. Die anderen notieren die passende Situation aus dem Bildlexikon.

> *Wäre ich doch nur eine andere Strecke gefahren!*
>
> **im Stau stehen**
>
> *Hätte ich doch das Waschprogramm noch einmal geprüft!*

5 Wettspiel

Überlegen Sie sich ein Missgeschick. Nennen Sie reihum irreale Wünsche. Wenn Ihnen kein neuer Wunsch mehr einfällt, bekommen Sie einen Punkt und wählen ein neues Thema. Die Person mit den wenigsten Punkten gewinnt.

- ■ Ich habe meine Prüfung nicht bestanden.
- ▲ Wäre ich nur früher ins Bett gegangen.
- ● Hätte ich doch am Abend vor der Prüfung nicht gefeiert.
- ■ Hätte ich doch bloß die DVD-ROM-Übungen gemacht.
- ◆ Mir fällt nichts mehr ein.
- ▲ Okay, dann bekommst du einen Punkt und wählst eine neue Situation.

> Wäre/Hätte ich doch / bloß / nur ...!
>
> INFO

▶ 1 37

AB

6 Sorgentelefon im Radio

a Was ist richtig? Hören Sie und kreuzen Sie an.

1 Simon spielt schon lange mit seinem Freund zusammen Lotto.   ○
2 Sie kreuzen jedes Mal andere Zahlen an.   ○
3 Vor zwei Monaten sind ihre Zahlen gezogen worden.   ○
4 Aber Simons Freund hat den Lottoschein leider nicht abgegeben.   ○

Diktat

b Welche Sätze hören Sie im Gespräch? Hören Sie noch einmal und markieren Sie.

KOMMUNIKATION	KOMMUNIKATION
Enttäuschung ausdrücken Also das nächste Mal würde ich es ganz anders machen. | Also das nächste Mal würde ich ... | Hätte ich doch bloß ...! | Ich war so zornig auf mich! | Das war vielleicht blöd! | Ich habe mich so (über mich) geärgert. | Hätte ich nur ...! Dann wäre das alles nicht passiert. | Hätte ich bloß ...!	**auf Enttäuschung reagieren** Oh je, das ist ja wirklich dumm gelaufen. | Nicht zu glauben! | Das ist wirklich sehr ärgerlich. | Oh, das ist wirklich schade. | Das verstehe ich. | Alles im Leben hat einen Sinn. | Man weiß nie, ob es nicht sogar besser ist, wie es ist. | Vielleicht klappt es ja ein anderes Mal. | Aber da kann man wohl nichts mehr machen.

c Welche eigene Geschichte möchten Sie erzählen? Machen Sie Notizen und wählen Sie drei Redemittel aus b, die Sie verwenden möchten. Sie können auch eine Geschichte erfinden.

① Was ist passiert?   ② Was hätten Sie anders machen sollen?   ③ Gab es auch etwas Positives?

d Arbeiten Sie zu dritt. Jede Person ist einmal der Radiomoderator. Die anderen rufen im Radio an und erzählen ihre Geschichte.

AB **7** **Diskutieren Sie mit!**

a Was würden Sie in diesen Situationen machen? Verteilen Sie die Situationen und schreiben Sie zu zweit einen Kommentar.

① Ich habe von einem guten Freund ein Geburtstagsgeschenk bekommen, das mir nicht gefällt. Soll ich es ihm sagen?

② Meine Freundin hat sich frisch verliebt. Ich kenne ihren neuen Partner zufällig von früher. Er hat damals oft gelogen. Soll ich es ihr erzählen?

③ Meine Freundin hat eine neue Frisur. Sie ist begeistert. Aber ich finde, dass ihr die Frisur überhaupt nicht steht. Was soll ich machen?

④ Unsere Tochter erzählt uns gar nichts mehr. Wir machen uns Sorgen. Soll ich heimlich ihre SMS und E-Mails lesen?

Situation 1
Wir würden es dem Freund nicht sagen. Er hat sich bestimmt Gedanken gemacht und wäre sicherlich enttäuscht. Aber im nächsten Jahr würden wir ihm sagen, was wir uns wünschen. Dann geht es nicht noch einmal schief.

b Tauschen Sie Ihren Kommentar mit einem anderen Paar und kommentieren Sie.

Das sehen wir anders. Wir finden, du solltest es ihm sagen. Gute Freunde sollte man nicht belügen.

GRAMMATIK

Irreale Wünsche: Konjunktiv II Vergangenheit: hätte/wäre + Partizip Perfekt

Hätten wir doch die erste Wohnung genommen!
Wäre sie doch nur rechtzeitig losgegangen!

ich	hätte			wäre	
du	hättest			wär(e)st	
er/ es/ sie	hätte	geschrieben abgegeben		wäre	losgegangen aufgestanden
wir	hätten			wären	
ihr	hättet			wär(e)t	
sie/ Sie	hätten			wären	

KOMMUNIKATION

Enttäuschung ausdrücken

Das war vielleicht/total blöd! Ich habe mich so (über mich) geärgert. / Ich war so zornig auf mich!
Also das nächste Mal würde ich es ganz anders machen.
Also das nächste Mal würde ich …
Hätte ich doch wenigstens/gleich …!
Hätte ich nur/bloß …! Dann wäre das alles nicht passiert.

auf Enttäuschung reagieren (reactions)

Das verstehe ich.
Oh, das ist wirklich schade.
Das war bestimmt / ist wirklich sehr ärgerlich.
Oh je, das ist ja wirklich dumm gelaufen.
Nicht zu glauben!
Aber vielleicht klappt es ja ein anderes Mal.
Aber da kann man wohl nichts mehr machen.
Alles im Leben hat einen Sinn.
Man weiß nie, ob es nicht sogar besser ist, wie es ist.

Sprechen: etwas emotional kommentieren: *Das berührt mich sehr.*

Lesen/Schreiben: Blog-Beitrag

Wortfeld: Glücksmomente im Alltag

Grammatik: Plusquamperfekt mit *haben* und *sein: hatte erzählt;* Konjunktion *nachdem*

▶ 1 38 **1 Sehen Sie das Foto an und hören Sie.**
Worüber freut sich die Frau? Was meinen Sie?

Traumjob gefunden | im Lotto gewonnen | ...

2 In welcher Situation würden Sie so jubeln?

Ich würde so jubeln, wenn der erste
Ferientag wäre.

1	2	3	4	5	6	7

durchschlafen ● Turnier gewinnen viele ● Pilze finden ● Doktorarbeit abgeben ● Hilfe erhalten ● Sonnenfinsternis sehen ● Sternenhimmel seh

3 Was würde Sie glücklich machen?
Sehen Sie ins Bildlexikon und machen Sie eine Liste mit drei Einträgen.
Vergleichen Sie dann mit Ihrer Partnerin / Ihrem Partner.

Ich	Meine Partnerin / Mein Partner
1. eine feste Stelle erhalten	1. Hilfe beim Koffertragen erhalten
2. ...	

AB **4 Mein schönster Glücksmoment im letzten Jahr**

a Welches Bild aus dem Bildlexikon passt zu den Leser-Beiträgen?
Überfliegen Sie die Texte und ergänzen Sie die Nummern.

LIEBE LESERINNEN UND LESER!
Herzlich willkommen in unserem neuen Blog. Kurz vor Jahresende geht es hier um
Ihren schönsten Glücksmoment im vergangenen Jahr! Und das muss nicht immer
das „große Glück" sein. Oft sind es die einfachen Dinge, die uns fröhlich oder
glücklich stimmen. Wann ist Ihnen zuletzt etwas Wundervolles geschehen?
5 Erzählen Sie uns davon!

Ⓘ Es war Freitag, der 10. Juli. Als ich morgens
aufwachte, war irgendetwas anders! Und plötzlich wusste ich, was es war: Meine Tochter Luna
hatte zum ersten Mal die Nacht durchgeschlafen.
10 Endlich! *Emily*

Ⓘ Der schönste Moment im vergangenen Jahr
war gestern: Ich bin 18 Jahre alt geworden! Jetzt
kann mir niemand mehr etwas verbieten. *Marvin*

Ⓘ Aus meinem 400-Euro-Job ist im Septem-
15 ber eine Festanstellung geworden. Nachdem
mir mein Chef das erzählt hatte, rannte ich laut
singend nach Hause. Ich habe mich so gefreut!
Natalie

Ⓘ Früher hatte ich mir immer eine kleine
20 Schwester gewünscht. Ich bin jetzt 14 Jahre alt.
Nachdem ich die Hoffnung schon lange aufge-
geben hatte, teilte meine Mutter mir vor drei
Monaten plötzlich mit: Dein Wunsch geht in
Erfüllung. Du wirst große Schwester! Das war
25 MEIN Glücksmoment des Jahres! *Milena*

Ⓘ Als ich im Sommer in Südafrika beim Campen
war und eine totale Sonnenfinsternis sehen
konnte. Ohne eine einzige Wolke am Himmel!
Ich habe einfach nur geweint vor Glück. *Lancelot*

30 Ⓘ <u>Nachdem</u> unsere Hockeymannschaft jahre-
lang Pech gehabt hatte, wurde letztes Wochenende endlich alles anders. Wir gewannen ein
wichtiges Turnier gegen ein sehr gutes Team
und sind in die Landesliga aufgestiegen. *Emre*

35 Ⓘ Eindeutig der schönste Tag im letzten Jahr
war der 15. Oktober. <u>Nachdem ich fast drei Jahre</u>
<u>an meiner Doktorarbeit gesessen hatte, habe</u>
<u>ich sie an diesem Tag in der Uni abgegeben.</u>
Ich fühlte mich überglücklich und stolz und bin
40 es heute noch! *Anna-Lisa*

Plusquamperfekt

Ⓘ Glücksgefühl im Alltag: Ich schiebe das
Fahrrad mit einem platten Reifen den Bürger-
steig entlang. Neben mir hält ein älterer Herr,
lächelt freundlich, packt sein Werkzeug aus
45 und repariert meinen Reifen. Das habe ich
noch nie erlebt! *Claudia*

 ZIEL KM 42,145
 18

 11

8	9	10	11	12	13
angelächelt werden	● Marathon laufen	volljährig werden	feste ● Stelle erhalten	● Sonne genießen	● Geschwister bekommen

b Lesen Sie die Blog-Beiträge noch einmal und merken Sie sich, wer welchen Glücksmoment hat. Arbeiten Sie dann zu zweit: Partner A schließt das Buch und Partner B fragt nach den Glücksmomenten von vier Personen. Tauschen Sie dann die Rollen.

- ■ Welchen Glücksmoment hatte Anna-Lisa?
- ● Ich glaube, sie hat sich über eine Festanstellung gefreut.
- ■ Nein, das war …

Diktat

c Kommentieren Sie die Blog-Beiträge mit Ihrer Partnerin / Ihrem Partner.

- ■ So etwas wie Claudia habe ich auch schon einmal erlebt.
- ● Wirklich? Das ist mir noch nie passiert, aber da hätte ich mich auch sehr gefreut.

> **KOMMUNIKATION**
> So etwas habe ich auch schon einmal erlebt.
> Das ist mir auch schon passiert.
> Das berührt mich sehr. *toccare me emotionally*
> Das kann ich gut nachempfinden. *verstehen*
> Darüber hätte ich mich auch sehr gefreut.
> Dieses Erlebnis finde ich besonders schön.

AB

5 **Ergänzen Sie die Verben und kreuzen Sie dann an. Hilfe finden Sie im Text in 4a.**

Spiel & Spaß

haben … abgegeben | ~~erzählt hatte~~ | ~~gesessen hatte~~ | aufgegeben hatte | ~~rannte~~ | ~~teilte~~

GRAMMATIK

Handlung A	Handlung B
Nachdem mir mein Chef das *erzählt hatte*,	*rannte* ich laut singend nach Hause.
Nachdem ich die Hoffnung schon lange *aufgegeben hatte*,	*teilte* meine Mutter mir vor drei Monaten plötzlich mit: …
Nachdem ich fast drei Jahre an meiner Doktorarbeit *gesessen hatte*,	*habe* ich sie an diesem Tag in der Uni *abgegeben*.

Plusquamperfekt mit *haben/sein*

er/es/sie hatte erzählt   er/es/sie war gelaufen

GRAMMATIK

Welche Handlung passiert zuerst?
☒ Handlung A (*nachdem*-Satz)
○ Handlung B (Hauptsatz)

▶ 1 39
AB

6 **Was hat Urs gestern gemacht? Arbeiten Sie zu zweit auf Seite 166.**

7 **Ihr schönster Glücksmoment im letzten Jahr**

> *Mein schönster Glücksmoment im letzten Jahr war, als …*

a Schreiben Sie nun einen eigenen Blog-Beitrag wie in **4a** und hängen Sie ihn im Kursraum auf. Sie können sich auch etwas ausdenken.

b Schreiben Sie die Redemittel aus **4c** auf Kärtchen und gehen Sie zu zweit durch den Kursraum. Lesen Sie die Beiträge und kommentieren Sie sie mündlich mit Ihrer Partnerin / Ihrem Partner.

8 Interjektionen

▶1 40 **a** Positiv oder negativ? Hören Sie und ordnen Sie zu.

~~Brr!~~ | ~~Igitt!~~ | ~~Aua!~~ | ~~Juhu!~~ | ~~Hurra!~~ | ~~Hih!~~ | ~~Ui!~~ | ~~Mist!~~

positiv: Juhu; Hurra; ~~Aua~~; Ui!; ~~Hih~~, Alaaf; Helau!   *oops*

negativ: Brr! Igitt; Mist; ~~Hih~~, Aua; Hih;

Hoppla! Ups!

b Wählen Sie eine Situation und spielen Sie sie pantomimisch vor. Die anderen beschreiben die Situation und rufen eine passende Interjektion.

sich verletzen | das Deutsch-Zertifikat bestehen | die Ausbildung abschließen | eine feste Stelle finden | Tee zu lange ziehen lassen, sodass er bitter wird | ein Geschenk bekommen | saure Milch trinken | frieren  | ohne Geldbörse an der Kasse stehen | Freunde in der neuen Wohnung besuchen | der Geldautomat ist außer Betrieb | ...

> Du hast saure Milch getrunken?
> Igitt!

Spiel & Spaß

GRAMMATIK

Plusquamperfekt mit *haben* und *sein*

	hatte/war	Partizip
er/es/sie	hatte	gesammelt
er/es/sie	war	gelaufen

Wir hatten tatsächlich sechs Kilo Pilze gesammelt.

Konjunktion *nachdem*

Handlung A	Handlung B
Nachdem mir mein Chef das erzählt hatte,	rannte ich laut singend nach Hause.

Handlung B	Handlung A
Ich rannte laut singend nach Hause,	nachdem mir mein Chef das erzählt hatte.

KOMMUNIKATION

etwas emotional kommentieren

So etwas habe ich auch schon einmal erlebt.
Das ist mir auch schon passiert.
Das finde ich sehr berührend.
Das berührt mich sehr.
Das kann ich gut nachempfinden.
Darüber hätte ich mich auch sehr gefreut.
Dieses Erlebnis finde ich besonders schön.

Audiotraining

Karaoke

Ausflug des Jahres 12

▶ 1 41 **1** **Sehen Sie das Foto an und hören Sie.**
Kennen sich die Leute und was machen sie? Was meinen Sie?

Ich denke, die Leute kennen sich. Vielleicht
sind sie Mitglieder in einem Sportverein,
die ...

Lesen/Schreiben:
Briefe und E-Mails:
Einladungen, Absagen,
Zusagen

Wortfeld: Veranstaltungen in Betrieben

Grammatik: Genitiv:
Bericht des Betriebsrats;
Adjektivdeklination im
Genitiv; Präposition *trotz*

2 **Unternehmen Sie gern etwas in Gruppen? Erzählen Sie.**

Ich unternehme gern etwas in Gruppen.
Ich bin zum Beispiel Mitglied in einem
Segelverein.

- Betriebsausflug
- Jubiläum
- Weihnachtsfeier
- Einstand

AB **3** **Dazu lade ich Sie ganz herzlich ein.**

a Welche Einladung passt zu dem Foto? Überfliegen Sie die Einladungen und ergänzen Sie den Buchstaben.

Ⓐ

AN ALLE MITARBEITERINNEN UND MITARBEITER der Papier Böhm AG

Liebe Mitarbeiterinnen und Mitarbeiter,
für uns geht ein gutes und erfolgreiches Jahr zu Ende. Dies ist vor allen Dingen Ihrem Einsatz zu verdanken. Darum möchte ich Sie zu einer Weihnachtsfeier einladen: am 20.12. um 16:00 Uhr im Café Mirabelle. Außer einem kleinen weihnachtlichen Buffet gibt es ein Konzert von unserem Betriebschor. Ich freue mich auf ein paar gemütliche Stunden und wünsche Ihnen eine schöne Adventszeit im Kreis Ihrer Angehörigen und Freunde.

Ihr Felix Böhm – Geschäftsführer

> **außer** + Dativ
> außer einem Buffet / ...
> INFO

Ⓑ **Betreff:** Alle in einem Boot

Hallo liebes Team,

dieses Jahr haben wir für unseren Betriebsausflug etwas Besonderes geplant. Gemeinsam fahren wir auf einem Floß auf der Isar von Wolfratshausen bis Thalkirchen. Anschließend gehen wir in einen Biergarten. Los geht's am 12. Mai um 10:00 Uhr.
Ein Bus bringt uns vom Firmenparkplatz nach Wolfratshausen. Gegen 16:00 Uhr geht es wieder zurück. Natürlich könnt Ihr auch mit dem eigenen Pkw anreisen.
Wir freuen uns auf einen erlebnisreichen Tag.

Herzlichst – Eure Erika Schmidt-Lösse

Ⓒ **Betreff:** Man soll gehen, wenn es am schönsten ist ...

Sehr geehrte Damen und Herren, liebe Kolleginnen und Kollegen,

nach fünf Jahren verlasse ich unser Haus aus privaten Gründen. Neben den Herausforderungen im Beruf gibt es auch im familiären Bereich spannende Aufgaben, die auf mich warten.
Ich danke allen für die stets gute Zusammenarbeit. Gern würde ich mich am Mittwoch persönlich von Ihnen verabschieden. Dazu lade ich Sie ganz herzlich um 15:00 Uhr in mein Büro zu Kaffee und Kuchen ein. Ich bitte Sie, mir kurz Bescheid zu geben, ob Sie kommen können. Über zahlreiches Kommen würde ich mich sehr freuen.
Mit den besten Wünschen
Ihre Bianka Biala

Ⓓ **Der Betriebsrat informiert: Einladung zur 2. Betriebsversammlung dieses Jahres am 13. April um 12:00 Uhr in der Kantine**

Tagesordnung:
1. Tätigkeitsbericht des Betriebsrats
2. Bericht des Arbeitgebers
3. Vorstellung der Betriebsvereinbarung zum Thema private E-Mail-Nutzung
4. Stand der Umbauarbeiten
5. Referat eines Gutachters zum Thema Sicherheit am Arbeitsplatz trotz Umbauarbeiten

Ihr Betriebsrat

Spiel & Spaß

b Wozu wird hier eingeladen? Notieren Sie die passende Veranstaltung aus dem Bildlexikon.

Einladung A: _Weihnachtsfeier_　　　　Einladung C: _Ausstand_
Einladung B: _Betriebsausflug_　　　　Einladung D: _Betriebsversammlung_

c Lesen Sie die Einladungen noch einmal und beantworten Sie die Fragen. Schreiben Sie dann vier eigene Fragen zu den Einladungen und tauschen Sie mit Ihrer Partnerin / Ihrem Partner.

1 Wen lädt Felix Böhm zu der Feier ein?
2 Was ist für den Ausflug geplant?
3 Wieso verlässt Bianka Biala ihre Firma?
4 Welche Personen berichten auf der Versammlung?

AB **4** **Die Betriebsversammlung**

Beruf

a Lesen Sie noch einmal die Einladung zur Betriebsversammlung und markieren Sie die Genitive. Ergänzen Sie dann die Tabelle.

Genitiv

● _____/dieses Betriebsrats	eines Betriebsrats
● des/_____ Jahres	eines Jahres
● _____/dieser Betriebsvereinbarung	einer Betriebsvereinbarung
● _____/dieser Umbauarbeiten	von Umbauarbeiten

auch so: mein-, dein-, ... ❗ Plural: meiner/deiner/...

GRAMMATIK

Spiel & Spaß

b Ergänzen Sie die Betreffzeilen der E-Mails. Hilfe finden Sie in der Tabelle.

① **Betreff:** Informationen für die Mitglieder _der_ neu_en_ Projektgruppe „digitale Medien"

② **Betreff:** Tagesordnung _____ heutig_____ Treffens

③ **Betreff:** Vorstellung _____ neu_____ Geschäftsführung

④ **Betreff:** Informationsbroschüre _____ für unsere Branche zuständig_____ Gewerkschaft

⑤ **Betreff:** Wahl _____ nächst_____ Betriebsrats

⑥ **Betreff:** Zeitplan _____ geplant_____ Umbauarbeiten

⑦ **Betreff:** Trotz_____ schlecht_____ Wetterberichts: Der morgige Betriebsausflug findet statt.

Adjektivdeklination im Genitiv

		def./indef. Artikel	Nullartikel	
trotz	●	des/eines geplanten	geplanten	Ausflugs
	●	des/eines schlechten	schlechten	Wetters
	●	der/einer guten	guter	Zusammenarbeit
	●	der/– geplanten	geplanter	Umbauarbeiten

GRAMMATIK

● Betriebsausflug ● Jubiläum ● Weihnachtsfeier ● Einstand

neue

Diktat

5 Vielen Dank für Ihre Einladung zur ...

a Wer sagt ab/zu? Überfliegen Sie die Antworten und notieren Sie die Namen.

Zusage: Tobias

Absage: Annika, ~~Deine~~ *conny*, Annette

① Sehr geehrter Herr Böhm,

vielen Dank für Ihre Einladung zur Weihnachtsfeier. Leider kann ich dieses Jahr nicht kommen, denn ich verabschiede mich bereits am 18. Dezember in den Skiurlaub. Ich wünsche Ihnen und allen Kolleginnen und Kollegen einen gemütlichen Abend. Bei dieser Gelegenheit möchte ich mich bei Ihnen für die gute Zusammenarbeit bedanken.

Ich wünsche Ihnen und Ihrer Familie ein frohes Weihnachtsfest.
Mit den besten Wünschen
Annika Meyer

② Liebe Bianka,

herzlichen Dank für die Einladung zu Deinem Abschied. Ich muss leider absagen, weil ich in der *"fair"* Woche noch auf unserem Messestand in Hannover bin. Ich finde es jedenfalls sehr schade, Dich *auf wiedersehen* als Kollegin zu verlieren 😞. Deine Abschiedsfeier müssen wir dann unbedingt privat nachholen. Sobald ich wieder in der Stadt bin, melde ich mich bei Dir.

Ich wünsche Dir einen schönen Abschied und freue mich auf unser baldiges Treffen.
Herzlichst
Deine Conny

③ Liebe Frau Schmidt-Lösse,

über die Einladung zum Betriebsausflug habe ich mich sehr gefreut. Vielen Dank auch für die Organisation! Ich komme gern und freue mich schon sehr. Ich würde gern mit dem eigenen Pkw fahren. Könnten Sie mir eine Wegbeschreibung oder die genaue Adresse schicken? Außerdem wollte ich mich noch erkundigen, ob wir für die Floßfahrt wasserdichte Schuhe brauchen.

Über eine schnelle Antwort würde ich mich freuen.
Im <u>Voraus</u> vielen Dank für Ihre Mühe. *hause*
Mit freundlichen Grüßen
Tobias Franzen

④ Lieber Peter,

vielen Dank, dass Du unsere Einladung verschickt hast. Ich habe schlechte Nachrichten: Ich habe mich leider so stark erkältet, dass ich morgen nicht wie geplant dabei sein und die Betriebsvereinbarung vorstellen kann. Könntest Du die Präsentation bitte für mich übernehmen? Ich schicke Dir die endgültige Version noch einmal im Anhang mit. Beachten müsstest Du nur die Verbesserungen zum Thema Sicherheit.

Herzlichen Dank im Voraus!
Und bitte grüß die Kolleginnen und Kollegen ganz herzlich von mir!

Schöne Grüße
Annette

● Ausstand ● Betriebsversammlung ● Sommerfest

geht

b Was ist richtig? Lesen Sie noch einmal und kreuzen Sie an.

1 Annika Meyer kommt nicht zur Weihnachtsfeier, weil sie zu dem
   Zeitpunkt nicht mehr in der Firma angestellt ist.   *angenommen*   ○
2 Conny kommt nicht zum Abschied, weil sie privat unterwegs ist.   ○
3 Tobias Franzen braucht noch weitere Informationen.   ⊠
4 Der Kollege soll Annette auf der Betriebsversammlung vertreten.   ⊠
                                                        „fill in"

**c Lesen Sie die E-Mails in a noch einmal und markieren Sie die passenden Redemittel.
Übertragen Sie die Tabelle in Ihr Heft und ergänzen Sie.**

Anrede	Einleitung	Schluss	Grußformel
Sehr geehrte Damen und Herren, ...	vielen Dank für Ihren Brief. Ich habe mich sehr darüber gefreut.	Ich würde mich freuen, bald von Ihnen zu hören.	Mit freundlichen Grüßen

d Kennen Sie weitere Redemittel zu den Kategorien in c? Ergänzen Sie.

AB **6 Einladungen**

**a Wählen Sie eine Situation aus dem Bildlexikon und schreiben Sie eine Einladung an Ihre
Kollegen/Mitarbeiter. Machen Sie zunächst Notizen und wählen Sie eine passende Anrede
und eine passende Grußformel.**

Wozu laden Sie ein?	Einstand
Was gibt es? / Was wird gemacht? / Tagesordnung?	Kaffee und Kuchen
Wann und wo findet die Veranstaltung statt?	am 15.09. um 15 Uhr, Büro

**b Tauschen Sie Ihre Einladung mit Ihrer Partnerin / Ihrem Partner und schreiben Sie eine
Zusage oder eine Absage. Schreiben Sie zu allen Punkten etwas und achten Sie auf den
Textaufbau (Anrede, Einleitung, Reihenfolge der Inhaltspunkte, Schluss, Grußformel).**

> **Zusage – Sie kennen die Person, die einlädt, nicht privat.**
> Worauf freuen Sie sich besonders? / Was finden Sie besonders wichtig?
> Fragen Sie, ob Sie etwas mitbringen/vorbereiten sollen.
> Erzählen Sie, dass Sie etwas später kommen und warum.

> **Absage – Sie kennen die Person, die einlädt, auch privat sehr gut.**
> Warum können Sie nicht kommen?
> Was finden Sie besonders schade?
> Sie sollten etwas machen oder mitbringen. Machen Sie einen Vorschlag,
> wer Ihre Aufgabe übernehmen kann / Sie vertreten kann.

7 **Betriebsfeiern: Plaudern will gelernt sein.**

a Was sind gute Small-Talk-Themen? Was meinen Sie? Lesen Sie und ergänzen Sie zu zweit.

Betriebsfeiern: Plaudern will gelernt sein

Ohne Feiern mit den Kollegen geht es im Arbeitsleben nicht. Ob Geburtstag, Betriebsausflug, Sommerfest oder die gemeinsame Weihnachtsfeier: Dabei kann einiges schief-
gehen. Doch mit ein paar guten Tipps gelingt nicht nur jeder Small Talk mit Kunden
und Vorgesetzten am Arbeitsplatz, sondern auch jedes Gespräch auf Betriebsfesten.

Wetter | Politik | Stau im Berufsverkehr | Krankheit | Urlaub | Klatsch und Tratsch
über Kollegen, Kunden und Vorgesetzte | Religion | Filme | Bücher | Essen |
Tod | Geld | kulturelle Veranstaltungen | Familie | Sport

Diese Themen sollte man vermeiden: _____

Diese Themen sind gut geeignet: _____

▶1 42 **b** Hören Sie den Radiobeitrag und vergleichen Sie.

c Über welche Themen würden Sie gern / auf keinen Fall sprechen?
Machen Sie eine Liste und diskutieren Sie im Kurs.

Über diese Themen würden wir gern sprechen: _____

Über diese Themen würden wir auf keinen Fall sprechen: _____

GRAMMATIK

Genitiv

	mit definitem Artikel / Demonstrativartikel	mit indefinitem Artikel / Possessivartikel
•	des/dieses Betriebsrats	eines/unseres Betriebsrats
•	des/dieses Jahres	eines Jahres
•	der/dieser Betriebs-vereinbarung	einer/unserer Betriebsver-einbarung
•	der/dieser Umbauarbeiten	von Umbauarbeiten / unserer Umbauarbeiten

auch so: mein-, dein-, ... ❗ Plural: meiner/deiner/...

Präposition *trotz* + Adjektivdeklination im Genitiv

		def./indef. Artikel	Nullartikel	
trotz	•	des/eines geplanten	geplanten	Ausflugs
	•	des/eines schlechten	schlechten	Wetters
	•	der/einer guten	guter	Zusammen-arbeit
	•	der geplanten	geplanter	Umbauarbeiten

KOMMUNIKATION

Briefe und E-Mails: Einleitung

Vielen Dank für Ihren Brief/ ...
Ich habe mich sehr darüber gefreut.
Ich habe mich sehr über ... gefreut.
Vielen Dank!
Vielen/Herzlichen Dank für Ihre
Einladung. Gern ... / Leider ...

Briefe und E-Mails: Abschluss

Ich würde mich freuen, bald von
Ihnen zu hören.
Über eine schnelle Antwort würde
ich mich sehr freuen.
Im Voraus vielen Dank für Ihre
Mühe.
Herzlichen Dank im Voraus.
Grüßen Sie bitte ... ganz herzlich
von mir.

„Lebensfreude, Mut und Kraft schenken"

Herzenswünsche e.V. erfüllt kranken Kindern ihren größten Wunsch

Gemeinsam mit ihrer besten Freundin startet Wera Röttgering im Jahr 1989 eine Initiative: Sie will schwer erkrankten Kindern und Jugendlichen Mut machen und ihnen einen besonderen

5 *Wunsch erfüllen. Drei Jahre später gründet sie den Verein* Herzenswünsche e.V., *der bisher mehreren Tausend Kindern und Jugendlichen in ganz Deutschland geholfen hat, im Kampf gegen ihre Krankheit den Mut nicht zu verlieren.*

10 Ein Tag auf dem Ponyhof, einmal mit dem Hubschrauber die Welt von oben sehen oder die Fußballnationalmannschaft treffen – das sind Ereignisse, die einem schwer kranken Kind neuen Mut und neue Kraft geben können. Mit über

15 70 ehrenamtlichen Mitarbeitern versucht der Verein, jeden dieser Kinderträume zu erfüllen, denn die Kinder sollen ihre Krankheit einmal ganz vergessen können.

„Man muss sich vorstellen, dass sie alle sehr lang-

20 wierige und anstrengende Therapien hinter sich haben oder sich noch mittendrin befinden. Oft verbringen sie Monate oder Jahre ihres Lebens in Kliniken. Hier können wir mit unserem Verein ein bisschen helfen", erklärt Wera Röttgering.

25 „Oft hat schon die Vorfreude eine positive Wirkung auf die Gesundheit des Kindes." Meistens weisen die Ärzte in den Kliniken den Verein auf die Situation eines Kindes hin. Gemeinsam mit den Eltern und dem Kind finden die *Herzens-*

30 *wünsche*-Mitarbeiter dann heraus, welches Erlebnis dem Kind neue Kraft geben könnte.

Der 8-jährige Finn

Finn hatte schon immer davon geträumt, einmal auf einem großen

35 Fährschiff mitzufahren. Sein Wunsch wurde Wirklichkeit: Letztes Jahr fuhr er zusammen mit seinen Eltern an Bord der „Color Fantasy" von Kiel

40 nach Oslo. 20 Stunden dauerte die Reise und Finn schaute sich jede Ecke des Schiffes an. Der Höhepunkt: die Fahrt durch den Oslofjord bei strahlend blauem Himmel. „Das

45 hat Finn absolut glücklich gemacht, wir danken dem Verein *Herzenswünsche e.V.,* dass er uns diese Reise ermöglicht hat!", so das Fazit von Finns Eltern.

Jeden Morgen begrüßten die Hunde Marvin mit freudigem Gebell.

Der 16-jährige Marvin

50 durfte im letzten Winter zusammen mit drei weiteren Jungen nach Schweden reisen. Mit einem Guide und

55 seinen Schlittenhunden verbrachten die Jugendlichen eine Woche in einer Hütte ohne Strom und fließendes Wasser. Sie fuhren täglich mit den

60 Huskys durch die Schneelandschaft. Die Wildnis, aber auch die Hunde haben Marvin fasziniert und ihm ein unvergessliches Erlebnis beschert.

---

1 **Lesen Sie den Artikel und korrigieren Sie.**

a Wera Röttgering hat ~~ein Unternehmen~~ gegründet: Sie hilft kranken Kindern und Jugendlichen. *eine Initiative*

b Schon die Erinnerung an das geplante Erlebnis kann viel Kraft spenden.

c Finn ist mit dem Segelboot nach Oslo gefahren.

d Marvin durfte allein in einer Hütte in Schweden wohnen.

2 **Und Sie? Was war als Kind Ihr größter Wunsch? Erzählen Sie.**

1 Unser Stück vom Glück

a Wovon erzählen die beiden? Was meinen Sie?
Sehen Sie das Foto an und sprechen Sie.

> Ich glaube, dass die beiden von
> ihrem Leben als Rentner erzählen.

▶ Clip 4   **b** Was ist richtig? Sehen Sie den Anfang des Films (bis 2:00) und kreuzen Sie an.

1 Jörg hat Lilo auf einer Tanzveranstaltung gefragt, ob sie seine Frau werden will. ○
2 Lilo hat geantwortet: „Das weißt du doch!" ○
3 Am Hochzeitstag hat es leider die ganze Zeit geregnet. ○
4 Lilo sagt, dass die Hochzeit ihr Start in ein neues Leben war. ○

2 Und dann kam Glück auf Glück.

a Was meinen Sie? Von welchen Glücksmomenten
in ihrem Leben erzählen die beiden? Schreiben Sie
zu zweit eine Liste und vergleichen Sie im Kurs.

> – Geburt der Kinder
> – ...

▶ Clip 4   **b** Sehen Sie den Film weiter (2:01 – 5:05) und vergleichen Sie.

▶ Clip 4   **c** Welche Lebensbereiche waren Lilo und Jörg besonders wichtig?
Sehen Sie den Abschnitt (2:01 – 5:05) noch einmal und notieren Sie.

Gesundheit | Arbeit | Sport | Reisen | Freunde | ...

> Familie: 3 Töchter, 7 Enkelkinder
> Arbeit: ...

d Welche Lebensbereiche sind Ihnen besonders wichtig? Machen Sie Notizen und erzählen Sie.

3 Was ist Glück?

▶ Clip 4   **a** Wer sagt das? Was meinen Sie? Sehen Sie dann den Rest des Films (ab 5:06) und
ordnen Sie zu.

Jörg   Lilo

○ Glück ist für mich Liebe.
Denn wer lieben kann,
ist glücklich.

○ Glück ist etwas sehr Persönliches.
Wir müssen unser Glück finden und
nicht dem Glück anderer nachjagen.

b Was bedeutet Glück für Sie? Erzählen Sie.

1 Glücksbringer: Lesen Sie und ordnen Sie die Fotos zu.

Ein Glücksbringer soll Glück, Wohlstand, Gesundheit und ein langes Leben bringen sowie Böses fernhalten. Je nach Kulturkreis und Tradition gelten verschiedene Dinge als Glückssymbole. In Deutschland stehen beispielsweise folgende Symbole für Glück:

vierblättrige Kleeblätter

Glückspfennige

Fliegenpilze

Marienkäfer

Hufeisen

Glücksschweine

In Japan kennt man eine kleine Katze (*Maneki-neko*), die mit einer Pfote winkt und Glück und Wohlstand garantieren soll.

Die *Hand der Fatima* ist besonders im arabischen/islamischen Raum ein beliebtes Glückssymbol.

Zwei Personen erzählen uns von ihren Glücksbringern:

○ Mein Glücksbringer ist diese Kastanie. Ich habe sie mit 19 Jahren nach einer Knieoperation von meinem Vater geschenkt bekommen. Während die Ärzte mich operiert haben, hat mein Vater auf mich gewartet. Als er mich dann abholen konnte, schenkte er mir diese Kastanie: Er hatte sie im Park vor dem Krankenhaus gefunden und an mich gedacht. Seitdem trage ich die Kastanie immer bei mir.

○ Von Aberglauben halte ich eigentlich nicht viel, aber Glücksbringer habe ich trotzdem. Ich habe sogar mehrere, denn ich habe für jede besonders wichtige Person in meinem Leben einen Glücksbringer. Von meinem Bruder habe ich einen Ring, von meiner Mutter eine Figur, von meinem Vater einen Stein und von meinem Partner eine Glaskugel.

2 Mein Glücksbringer

a Welchen Glücksbringer haben Sie? Machen Sie Notizen zu den Fragen.

1 Was ist Ihr Glücksbringer oder Ihr besonders wichtiger Gegenstand?
2 Seit wann und woher / von wem haben Sie ihn?
3 Wann haben Sie ihn dabei? / Wobei hat er Ihnen schon Glück gebracht?

b Machen Sie eine Präsentation und erzählen Sie im Kurs.

Mein Glücksbringer ist eine Muschel.
Ich habe sie ...

MEIN GLÜCKS-BRINGER

DREI WÜNSCHE FREI

1 Gestern Nacht, da kam 'ne Fee vorbei, *Heute*
   sie sagte: „Du hast Pech, du hast ~~keine~~ Wünsche frei!" *Glück*
   Ich war total traurig, mir fiel vor Schreck ~~ganz viel~~ ein ... *erstarrt / nichts*
   Und drei Sekunden später weckte mich der Wecker. *Sonne scheint*
   Ach, wär' die Fee nicht nur im Traum zu mir gekommen!
   Ich hätte gerne ihr Angebot angenommen.

   Dann wär' ich der Supermann.
   Ich wünsche mir, dass ich fliegen kann,
   als Wachhund einen Leguan
   und meinen eigenen Untertan!

2 Morgens beim Frühstück klingelt das Telefon: *zur Arbeit*
   Die Große aus dem zweiten Stock fragt mich zum dritten Mal schon, *Nette / aus Abteilung drei*
   ob ich ~~morgen~~ mit den anderen noch zum Chor geh'. *heute / baden*
   Aber ich, ich kann nicht ~~singen~~, ojemine! *schwimmen*
   Ach, wär' die Fee nicht nur im Traum zu mir gekommen!
   Ich hätte gerne ihr Angebot angenommen.

   Dann wär' ich der Supermann.   *Dann wär' ich der Supermann.*
   Ich wünsche mir, dass ich schwimmen kann. *Ich wünsche mir, dass ich ~~fliegen~~ kann. schwimmen*
   Ein Segelboot auf dem Ozean   *Als Wachhund einen Leguan*
   und jemand, der es steuern kann.   *und meinen eigenen Untertan!*

3 Gestern Nacht, da kam 'ne Fee vorbei, *Heute*
   sie sagte: „Du hast Pech, du hast keine Wünsche frei!" *Glück / drei*

▶ 1 43 **1** **Im Liedtext sind einige Wörter falsch.**
   Hören Sie das Lied, markieren und korrigieren Sie.

2 **Dichten Sie Ihren eigenen Refrain.**
Präsentieren Sie Ihre Refrains im Kurs und singen Sie gemeinsam.

Dann wär' ich der Supermann.
Ich wünsche mir, dass ich _____ kann.
Ein/Eine/Einen _____
und _____.

Dann wär' ich der Supermann.
Ich wünsche mir, dass ich zaubern kann.
Ein kleines Haus direkt am Meer
und das Girokonto niemals leer.

1 Was meinen Sie? Sehen Sie das Foto an und beantworten Sie die Fragen.

Wo sind die Personen?
Worüber lachen sie?

2 Worauf hast du Appetit?

▶ 2 01 **a** Hören Sie und erzählen Sie die Geschichte nach.

Restaurant | „Rechtsanwalt an Essigsoße" | nachfragen | erklären |
verstehen | Avocado | Übersetzungsfehler | Advokat | lachen | bestellen

b Kennen Sie ähnliche Situationen? Erzählen Sie.

Hören/Sprechen: von Missverständnissen erzählen: *Folgendes habe ich erlebt: ...*; nachfragen und Verständnis sichern: *Habe ich Sie richtig verstanden?*

Wortfelder: Wörter mit mehreren Bedeutungen, Sprache

Grammatik: Konjunktionen und Adverbien (Folgen und Gründe): *deshalb, darum, deswegen, daher, aus diesem Grund, nämlich*; Präposition *wegen*

AB **3** **Das war so peinlich!**

▶ 2 02   **a**   Um welches Thema geht es? Hören Sie den Anfang einer Radiosendung und kreuzen Sie an.

○ Geschichten aus dem Sprachkurs   ○ sprachliche Missverständnisse   ○ Witze und Wortspiele

▶ 2 03–06   **b**   Wer hat welches Problem? Hören Sie die Sendung weiter und ordnen Sie zu.

○ Betonung   ○ Aussprache   ① Übersetzung   ○ Wortbedeutung

▶ 2 03–06   **c**   Hören Sie noch einmal und korrigieren Sie mit Ihrer Partnerin / Ihrem Partner.

1 Jennifer hat kurz vor einem Essen mit ihrem Chef vom Tod ihres ~~Bruders~~ *Onkels* erfahren.
Aus diesem Grund hat sie das Essen abgesagt: „Ich kann nicht kommen, weil ich so
müde bin." Ihr Onkel konnte kaum glauben, dass Jennifer betrunken war. Deswegen
fragte er nach und konnte das Missverständnis aufklären. In Jennifers Muttersprache
bedeutet „blau sein" „böse sein" und nicht „betrunken sein". (4 Fehler)

2 Julie hat eine Homepage, auf der Schüler Erfahrungsberichte zu Julies Trommel-
kursen veröffentlichen. In einem der Berichte konnte Julie das Wort „Begabung"
nicht verstehen und fragte die Lehrerin, ob sie eine Schülerin damit meinte. Wegen
der falschen Betonung hat die Lehrerin den Satz zunächst nicht verstanden. (2 Fehler)

3 Leyla sprach in einem Café einen Mann an und bat um einen „Typ". Das Mädchen
dachte, dass Leyla einen Mann sucht und zeigte darum auf einen anderen Gast.
Als Leyla daraufhin den Kellner ansprach, wurde dieser augenblicklich höflich.
Wegen der neuen Aussprache hatten die beiden sie missverstanden: Leyla brauchte
einen „Tipp", keinen „Typ". (4 Fehler)

4 Phuong erzählt von einem Zoobesuch. Als seine Mutter von den langen Schlangen vor
dem Zoo sprach, bekam Phuong Angst, denn ihn hatte einmal eine Schlange gebissen.
Daher wollte er plötzlich doch lieber nicht mehr mit. Der Vater erschrak und fragte
noch einmal nach. So konnten sie den Hinweis aufklären: Die Mutter meinte nämlich
nicht das Tier, sondern die vielen Menschen an der Kasse. (3 Fehler)

d   Lesen Sie die Tabelle und markieren Sie in c: Gründe = rot , Folgen = blau .

Grund	Folge
Jennifer hat kurz vor dem Essen vom Tod ihres Onkels erfahren.	Deshalb / Darum / Deswegen / Aus diesem Grund / Daher hat sie das Essen abgesagt.
Wegen der falschen Betonung	hat die Lehrerin das Wort nicht verstanden.

Folge	Grund
Sie konnten das Missverständnis aufklären:	Die Mutter meinte nämlich nicht das Tier.

wegen + Genitiv

wegen des Dialekts / des Missverständnisses / …

4 Gründe und Folgen angeben

Es war sehr laut auf dem Bahnsteig, daher habe ich die Durchsage nicht verstanden.
Arbeiten Sie zu zweit auf Seite 167.

AB **5 Sprachliche Missverständnisse**

Spiel & Spaß

a In welchen Situationen haben Sie schon Missverständnisse erlebt? Überlegen Sie und wählen
Sie dann ein Missverständnis, von dem Sie erzählen möchten. Sie können sich auch etwas
ausdenken. Machen Sie Notizen und schreiben Sie passende Redemittel auf Kärtchen.

schnelles/undeutliches Sprechen: _ein Beamter auf dem Standesamt ..._
Sprecher mit Akzent oder Dialekt: _mein Nachbar spricht sehr stark Dialekt ..._
Übersetzungsfehler: _____
falsche Wortbedeutung: _____
falsche Aussprache/Betonung: _____
...
Was ist genau passiert? _____

KOMMUNIKATION

Folgendes habe ich erlebt: ...
Als ich ..., ist mir Folgendes passiert: ...
Einmal / Ich war einmal ...
Ich erzähle euch von meinem Missverständnis. Also passt auf: ...

In meiner Sprache bedeutet ... nämlich ...
Aus diesem Grund / Daher / ... gab es ein Missverständnis.
Wegen meiner falschen Aussprache haben die beiden mich
missverstanden.

Da habe ich gemerkt/bemerkt, dass ...
Als ich meinen Fehler bemerkt habe, ...
Das war so peinlich! Aber später haben wir noch oft darüber gelacht.
Da haben alle gelacht und das Missverständnis aufgeklärt.

Folgendes habe
ich erlebt: ...

b Verwenden Sie Ihre Notizen und die Redemittel-Kärtchen und erzählen Sie in Gruppen.

c Wählen Sie die lustigste Geschichte in Ihrer Gruppe und erzählen Sie sie im Kurs.

AB **6 Teekesselchen**

Spiel & Spaß

Spielen Sie in zwei Gruppen: Sehen Sie sich zunächst zwei Minuten das Bildlexikon an und
prägen Sie sich die Wörter ein. Schließen Sie dann die Bücher. Zwei Personen umschreiben
ein Wort mit zwei Bedeutungen. Die anderen aus der Gruppe raten das Wort.

■ Mein Teekesselchen ist grün.
● Mein Teekesselchen ist aus Glas.
▲ Dazu fällt mir nichts ein. Könnt ihr uns noch mehr Hinweise geben?
■ Man kann es essen.
● Und man braucht mein Teekesselchen, wenn es dunkel ist.
▲ Das ist eine Birne.
● Ja, genau.

AB **7** **Könnten Sie das bitte wiederholen?**

a Spielen Sie zu viert. Jeder schreibt zu den beiden Themen je einen passenden Satz auf ein Kärtchen. Legen Sie alle Kärtchen auf einen Stapel.

1 Sie sagen eine Einladung kurzfristig ab: Warum?
2 Sie laden eine Freundin / einen Freund ein: Was planen Sie?

Ich kann heute leider doch nicht kommen, weil meine Tochter krank ist.

b Ziehen Sie ein Kärtchen, wählen Sie eine der Varianten 1–5 und lesen Sie den Satz schnell/undeutlich/... Die Person rechts neben Ihnen fragt nach.

1 Sprechen Sie besonders schnell.
2 Sprechen Sie besonders undeutlich.
3 Verwenden Sie einen falschen Vokal (z.B. nur „o").
4 Verwenden Sie ein falsches Wort oder ein Fantasiewort.
5 Lassen Sie jedes zweite Wort weg.

● Och konn heuto leidor …
▲ Ich glaube, das habe ich nicht richtig verstanden. Könnten Sie …?

Sie sprechen leider sehr schnell. Daher kann ich Sie nur schlecht verstehen.
Ich glaube, das habe ich nicht richtig verstanden.
Könnten Sie das bitte wiederholen/buchstabieren?
Könnten Sie bitte etwas langsamer sprechen?
Ich kenne das Wort nicht. Könnten Sie mir das bitte erklären?
Habe ich Sie richtig verstanden?
Meinten Sie damit, dass …?
Bedeutet das, dass …?

GRAMMATIK

Konjunktionen und Adverbien: Gründe und Folgen ausdrücken

Grund	Folge
Jennifer hat kurz vor dem Essen vom Tod ihres Onkels erfahren.	Deshalb / Darum / Deswegen / Aus diesem Grund / Daher hat sie das Essen abgesagt.

Folge	Grund
Sie konnten das Missverständnis aufklären:	Die Mutter meinte nämlich nicht das Tier.

kausale Präposition *wegen* + Genitiv

	wegen	des Dialekts
●		des Missverständnisses
●		der Betonung
●		der Bedeutungen

KOMMUNIKATION

eine Geschichte erzählen

Folgendes habe ich erlebt: Als ich … ist mir Folgendes passiert: …
Einmal … / Ich war einmal …
Ich erzähle euch von meinem Missverständnis. Also passt auf: …
In meiner Sprache bedeutet … nämlich …
Aus diesem Grund / Daher / … gab es ein Missverständnis.
Wegen meiner falschen Aussprache haben die beiden mich missverstanden.
Da habe ich gemerkt/bemerkt, dass …
Als ich meinen Fehler bemerkt habe, …
Das war so peinlich! Aber später haben wir noch oft darüber gelacht.
Da haben alle gelacht und das Missverständnis aufgeklärt.

nachfragen und Verständnis sichern

Sie sprechen leider sehr schnell. Daher kann ich Sie nur schlecht verstehen. | Ich glaube, das habe ich nicht richtig verstanden. | Könnten Sie das bitte wiederholen/buchstabieren? | Könnten Sie bitte etwas langsamer sprechen? | Ich kenne das Wort nicht. Könnten Sie mir das bitte erklären? | Habe ich Sie richtig verstanden? | Meinten Sie damit, dass …? | Bedeutet das, dass …?

Die Teilnahme ist auf eigene Gefahr. 14

Sprechen: etwas empfehlen: *Dieser Kurs ist für alle, die ...*

Lesen: Kursprogramm

Schreiben: Kursangebot

Wortfeld: Weiterbildung

Grammatik: Partizip Präsens und Perfekt als Adjektive: *faszinierende Einblicke, versteckte Talente*

1 **Gutes Gelingen!**

a Sehen Sie das Foto an und beantworten Sie die Fragen. Was meinen Sie?

Wo sind die Personen? Was machen sie? Warum machen sie das?

▶ 2 07 b Hören Sie und kreuzen Sie an.

1 Die Personen besuchen ○ einen Kletterkurs. ○ ein Seminar für mehr Selbstvertrauen.
2 Der Trainer ○ macht die Übung vor. ○ erklärt die Übung.
3 Jutta möchte ○ die Übung ausprobieren. ○ sich lieber nicht rückwärts fallen lassen.

2 **Haben Sie so eine Aktivität schon einmal gemacht? Erzählen Sie.**

AB **3** **Das neue Semester hat begonnen.**

a Zu welchen Themenbereichen aus dem Bildlexikon passen die Kurse?
Lesen Sie das Kursprogramm und notieren Sie.

Das Programm Ihrer Volkshochschule –
Das neue Semester hat begonnen.
Melden Sie sich jetzt an und sichern Sie sich Ihren Platz!

In über 2000 Angeboten finden Sie faszinierende Einblicke in die
unterschiedlichsten Themen: Beruf und Wirtschaft, Kunst und Kultur,
Sprachen und interkulturelle Bildung, Gesellschaft und Politik. Bei
uns können Sie Interessantes über fremde Länder oder unsere Region
erfahren. Sie können versteckte Talente entdecken, Ihre kreativen
Fähigkeiten ausbauen oder etwas für Ihre berufliche Karriere tun ...

Hier eine Auswahl aus unserem Frühjahrsprogramm:

**1 Sicher Klettern –
Samstagskurs**
Klettern ist eine herausfordernde Sportart. Beim Klettern lernt
man Ausdauer, Konzentration
und gegenseitiges Vertrauen.
Daher eignet sich Klettern prima,
um körperlich und geistig fit
zu bleiben. In unserem Tages-
kurs haben Sie die Möglichkeit,
diesen Sport kennenzulernen.
Sie lernen die entscheidenden
Grundlagen. Die Teilnahme ist
auf eigene Gefahr, wir übernehmen keine Haftung für Unfälle.
Bitte eine bequeme Hose,
Turnschuhe und etwas zu
trinken mitbringen.

**2 Musik aus dem Internet –
wie geht das?
(Seniorenprogramm)**
Im Kurs lernen Sie, auf welchen
Wegen Sie aktuelle Musik aus
dem Internet (legal) herunterladen können und welche Soft-
ware Sie zum Abspielen und
Verwalten der Musikstücke am
PC benötigen. Ganz praktisch
üben wir, wie Sie ausgewählte
Musikstücke zu Ihrer persönlichen Musikbibliothek hinzu-
fügen können.

**3 Wie verhalte ich mich in
Berufssituationen am Telefon?**
Mit Telefongesprächen wird
häufig der erste berufliche
Kontakt geknüpft. Anders als
in persönlichen Gesprächen
müssen Sie ohne Gestik, Mimik
und Blickkontakt kommuni-
zieren. Natürlichkeit, der richtige
Ton und die passende Strategie
sind daher für ein überzeugendes
und sicheres Gesprächsverhalten
extrem wichtig.
Seminarinhalte für Einsteiger:
Der erste Eindruck zählt – Wie
schaffe ich ein positives
Gesprächsklima?, Aktives
Zuhören und Fragetechniken,
Argumentationstechniken,
Verhalten in schwierigen
Situationen, Atem- und Stimm-
übungen

**4 Wir singen Lieder aus
aller Welt**
Dieser Kurs ist für alle, die Freude
am Singen haben. Unser Chor
singt ausgewählte Lieder aus
verschiedenen Zeiten und
Stilrichtungen. Außerdem
machen wir Übungen für die
Stimme. Erfahrung im Chorsingen ist nicht notwendig.

**5 1001 Küche – Die Küche des
Orients**
Die Küche des Orients ist reich
an Ideen und Geschmacksrich-
tungen. In diesem Kurs für
Kochprofis werden wir exotische
Gerichte mit duftenden Gewür-
zen und Kräutern zubereiten.
Unsere Rezepte stammen aus
Syrien, Afghanistan, Irak und der
Türkei. Zu jeder Mahlzeit gibt es
landestypische Getränke. Bitte
mitbringen: Küchenschürze,
Küchenhandtücher, Behälter für
Kostproben.

Heim und Garten

**6 Schneiderwerkstatt für
Fortgeschrittene: selbst
gemachte Sommerkleidung**
Der Sommer steht vor der Tür,
Sie brauchen ein schickes
Sommerkleid und kennen bereits
die Grundtechniken des Nähens?
In der Werkstatt lernen Sie, wie
Sie Kleidungsstücke entwerfen,
nähen oder ändern können.
Bitte mitbringen: Stoffreste,
Nähgarn, Nähnadeln, Bleistift,
Schere und viel Fantasie!

b Lesen Sie das Kursprogramm noch einmal und machen Sie eine Tabelle. Wenn die Information fehlt, schreiben Sie „keine Angaben".

Kurs	Was können Sie lernen?	Welche Voraussetzungen/ Vorkenntnisse brauchen Sie?	Was sollten Sie mitbringen?
Sicher Klettern	Ausdauer,...	keine Angaben	bequeme Hose, Turnschuhe, ...

c Lesen Sie die Einleitung in **a** noch einmal und ergänzen Sie die Tabelle. Suchen Sie dann weitere Beispiele im Kursprogramm und markieren Sie die Endungen.

> **Partizip Präsens als Adjektiv:**
> Einblicke, die faszinieren = _faszinierende_ Einblicke   das lernende Kind
> auch so: _eine herausfordernde Sportart,_ _____
>
> **Partizip Perfekt als Adjektiv:**
> Talente, die versteckt sind = _versteckte_ Talente   die gelernten Vokabeln
> auch so: _____

d Ergänzen Sie in der richtigen Form.

> **Deutsch als Fremd- und Zweitsprache**
> Sie möchten einen Intensivkurs besuchen? Sie suchen einen staatlich _geförderten_
> (gefördert) Kurs? Sie brauchen einen _____ (vorbereiten) Kurs für den Beruf?
> Sie möchten _____ (ausgewählt) Fertigkeiten üben oder _____ (fehlen)
> Grammatikkenntnisse auffrischen? Wir bieten ein _____ (umfassen) Kursan-
> gebot. Sie können während des ganzen Jahres beginnen, neue Kurse belegen oder in
> _____ (laufen) Kurse einsteigen. Bitte nutzen Sie vor Kursbeginn unsere Bera-
> tung, damit wir die _____ (passen) Gruppe für Sie finden können.

e Wörter im Text verstehen: Arbeiten Sie zu zweit auf Seite 168.

4 Kursempfehlungen

a Welche Interessen hat Ihre Partnerin / Ihr Partner? Was meinen Sie? Machen Sie Notizen und empfehlen Sie passende Kurse.

1	Interessen:	Reisen, fremde Länder
2	Hobbys:	Sport: Wasserball und Tennis
3	Passende Themen:	Sprachen, Gesundheit & Ernährung

Kursempfehlungen:
Kletterkurs,
Sprachkurs

b Überprüfen Sie Ihre Vermutungen.

■ Du bist sehr sportlich. Daher denke ich, dass der Kletterkurs genau der richtige Kurs für dich ist. Wegen deiner vielen Reisen könnte ich mir aber auch vorstellen, dass du gut einen Sprachkurs machen könntest.

● Ja, du hast recht. Einen Kletterkurs würde ich gern besuchen. Sprachen interessieren mich allerdings nicht so sehr, obwohl ich viel reise.

SCHREIBTRAINING

AB **5** **Erwachsenenbildung: Ihr Kursangebot**

Beruf

a Welchen Kurs möchten Sie anbieten? Machen Sie Notizen.

1	Kurs:	Würstchen-Kunde
2	Zielgruppe:	Interesse an regionalen Spezialitäten
3	Das lernen die Teilnehmer:	Geschichte, Bedeutung und Herstellung der Wurst
4	Erfahrungen/Vorkenntnisse:	nicht notwendig
5	Material:	Küchenschürze, Küchenhandtücher

Diktat

b Überlegen Sie sich einen Titel und schreiben Sie Ihr Kursangebot.

Deutsche Würstchen-Kunde

Frankfurter, Wiener, Thüringer oder Nürnberger? In Deutschland
gibt es knapp 1500 verschiedene Wurstsorten. In diesem Kurs werden
wir auf kulinarische Entdeckungsreise gehen. Dabei lernen Sie etwas
über die Geschichte, die Bedeutung und die Herstellung der Wurst.
Außerdem werden wir einige regionale Spezialitäten zubereiten.
Bitte mitbringen: Küchenschürze, Küchenhandtücher.

KOMMUNIKATION

Sie interessieren sich für … / Sie brauchen/möchten/sind …? | Dieser Kurs ist für alle, die … |
In unserem/dem Kurs haben Sie die Möglichkeit, … | In diesem Kurs werden wir … | Im Kurs /
Dabei / Beim … lernen Sie / lernt man, … | Ganz praktisch üben wir, … | Außerdem machen wir … |
Erfahrungen/Vorkenntnisse sind notwendig / nicht notwendig.

c Hängen Sie die Kursangebote auf. Welchen Kurs würden Sie gern besuchen?
Verteilen Sie Punkte.

Audiotraining

Karaoke

GRAMMATIK

**Partizip Präsens als Adjektiv:
Infinitiv + d + Adjektivendung**

faszinierende Einblicke = Einblicke, die faszinieren
auch so: eine herausfordernde Sportart, die entscheidenden Grundlagen, die passende Strategie, ein
überzeugendes Verhalten, duftende Gewürze

**Partizip Perfekt als Adjektiv:
Partizip Perfekt + Adjektivendung**

versteckte Talente = Talente, die versteckt sind
auch so: ausgewählte Musikstücke, selbst gemachte
Sommerkleidung, ausgewählte Lieder

KOMMUNIKATION

etwas empfehlen

Sie interessieren sich für … / Sie brauchen/
möchten/sind …?
Dieser Kurs ist für alle, die …
In unserem/dem Kurs haben Sie die Möglich-
keit, …
In diesem Kurs werden wir …
Im Kurs / Dabei / Beim … lernen Sie / lernt
man, …
Ganz praktisch üben wir, …
Außerdem machen wir …
Erfahrungen/Vorkenntnisse sind notwendig /
nicht notwendig.

Hören/Sprechen:
Vorstellungsgespräch:
*Ich möchte gern etwas Neues
machen und mich weiter-
entwickeln.*

Lesen: Stellenanzeigen,
Bewerbungsschreiben

Schreiben: Bewerbungsschreiben

Wortfeld: Bewerbung

Grammatik: zweiteilige
Konjunktionen *nicht nur
... sondern auch, sowohl ...
als auch*

1 **Jetzt mach du mal weiter!**

a Sehen Sie das Foto an. Was ist die Situation und was machen die
Personen? Was meinen Sie?

> Ich denke, dass die Personen zusammen in
> einer WG-Küche sitzen. Vermutlich haben sie über-
> raschend Besuch bekommen. Vielleicht ...

▶ 2 08 **b** Hören Sie und vergleichen Sie mit Ihren Vermutungen aus **a**.

2 **Haben Sie Erfahrung mit Bewerbungsgesprächen?**
Wie haben Sie sich vorbereitet / würden Sie sich vorbereiten?
Erzählen Sie.

• Handy   • Kleidung   • Gesten   • Gesichtsausdruck / • Lächeln   • Blickkontakt   • Sitzhaltung

3 Überfliegen Sie die Stellenanzeigen und ergänzen Sie die passenden Berufe.

Buchhalter | Callcenteragenten | Fremdsprachenkorrespondenten | ~~Fremdsprachensekretär~~

A

Wir sind ein international ausgerichtetes Unternehmen und suchen schnellstmöglich einen _____ (m/w)

Das erwartet Sie: Übersetzen von Fachtexten, Präsentationen, Korrespondenz, Pressemeldungen, Verträgen, Angeboten und Ähnlichem (Deutsch–Englisch–Spanisch), Erledigung aller Übersetzungsanfragen, Beauftragung und Koordination externer Übersetzer/Dolmetscher

Das erwarten wir: abgeschlossene Ausbildung zum _____ (m/w) mehrjährige Berufserfahrung, sehr gute Kenntnisse der englischen und der spanischen Sprache, gute Kenntnisse der gängigen PC-Programme, Spaß an der Arbeit im Team sowie Flexibilität und Eigeninitiative, verantwortungsbewusste, selbstständige und sorgfältige Arbeitsweise

Weitere Informationen bekommen Sie unter der Rufnummer 030 / 777 88 97.

B

Wir suchen für unser neu eröffnetes Informations-Callcenter Dresden ab April mehrere _____ (m/w) in Teilzeit/Vollzeit

Aufgabengebiet: Telefonische Kundenbetreuung für den polnischsprachigen Bereich (Textilindustrie), Kundenbestellungen annehmen und bearbeiten, Recherche von Kundendaten, Datenpflege der Kundendatenbank

Voraussetzungen: abgeschlossene kaufmännische Ausbildung, erste Erfahrungen im Callcenterbereich oder in der telefonischen Kundenbetreuung, ausgezeichnete polnische und deutsche Sprachkenntnisse in Wort und Schrift, angenehme Telefonstimme, Bereitschaft zur Schichtarbeit

Bitte senden Sie Ihre Bewerbungsunterlagen unter Angabe eines Eintrittszeitpunkts ausschließlich per E-Mail an: bewerbung@hotline-dresden.de

C

Für unser Berliner Büro suchen wir eine/n Fremdsprachensekretär/**-in**

Sie haben Ihre Ausbildung soeben abgeschlossen, sind serviceorientiert und mit den Arbeitsabläufen in einer Anwaltskanzlei bereits vertraut. Stress-situationen und die Notwendigkeit, zu organisieren machen Ihnen nichts aus. Das Beherrschen der deutschen und der englischen Sprache ist unbedingte Voraussetzung. Loyalität, Diskretion und Flexibilität sind für Sie ebenso selbstverständlich wie der sichere Umgang mit dem MS-Office-Paket und modernen Kommunikationsmitteln.

Fühlen Sie sich angesprochen und haben Lust, in einer erfolgreichen Kanzlei mitzuarbeiten? Dann freuen wir uns auf Ihre aussagekräftige Bewerbung bis zum 31. Mai an: personal@bb.de

D

Wir sind ein sehr erfolgreicher Reiseveranstalter und suchen zur tatkräftigen Unterstützung unseres Teams eine/n

_____ /**-in**

Sie lieben fremde Länder. Sie verstehen Ihr Handwerk und haben Teamgeist.

Folgende Tätigkeiten gehören zu Ihrem Aufgabengebiet: Rechnungsprüfung, Pflege der Konten, Erstellung von Monats- und Jahresabschlüssen, Erfassung, Kontierung und Buchung der Ein- und Ausgangsrechnungen

Das bringen Sie mit: abgeschlossene Ausbildung zum Steuerfachangestellten oder Bilanzbuchhalter, erste Berufserfahrung im Bereich Buchhaltung, fundierte Kenntnisse im Rechnungswesen, exzellente mündliche und schriftliche Deutsch- und Englischkenntnisse, eigenverantwortlichen und gewissenhaften Arbeitsstil

Weitere Informationen und Bewerbungsunterlagen bitte an: linert@reisen.de

AB **4** **Ein Bewerbungsschreiben**

a **Auf welche Anzeige aus 3 bewirbt sich Herr Bode? Lesen Sie und ergänzen Sie.**

Sehr geehrter Herr Dr. Stürmer,

mit sehr großem Interesse habe ich Ihre Stellenanzeige für einen _____ _____ gelesen. Da die Beschreibung meinen Interessen und Vorstellungen entspricht, bewerbe ich mich hiermit um diese Stelle.

Ich habe vor zwei Jahren meine Ausbildung zum _____ mit der Note 1,6 abgeschlossen. Danach konnte ich erste Berufserfahrung in einer Firma sammeln, die Computerspiele entwickelt. Als Assistent der Entwicklungsabteilung gehörte es zu meinen Hauptaufgaben, sowohl allgemeine Texte als auch Fachtexte in die Sprachen Deutsch und Englisch zu übersetzen. Schon nach kurzer Zeit wurde mir auch die Koordination einzelner Projekte übertragen. Es hat mir Spaß gemacht, an mehreren Prozessen gleichzeitig zu arbeiten und Teil eines erfolgreichen Teams zu sein.

Nach einem Jahr bot mir die Firma die Möglichkeit, für mehrere Monate ein Projekt in Kanada zu koordinieren. Dort habe ich gemerkt, dass es mir nicht nur leicht fällt, mich auch unter Zeitdruck auf neue Situationen einzustellen, sondern auch flexibel auf neue Aufgaben und Problemstellungen zu reagieren.
Ich beherrsche nicht nur die üblichen PC-Programme, sondern habe auch Basiskenntnisse im Programmieren von Internetseiten.
Ich bin zweisprachig aufgewachsen und spreche sowohl Deutsch als auch Spanisch als Muttersprachen.
Sollten Sie noch Fragen haben, rufen Sie mich gern an.
Über eine Einladung zu einem persönlichen Gespräch würde ich mich sehr freuen.

Mit freundlichen Grüßen

Julian Bode

Anlagen: Lebenslauf, Zeugnisse, Übersetzungsprobe

b **Lesen Sie die Bewerbung in a noch einmal und markieren Sie in dem Bewerbungsschreiben und in der passenden Stellenanzeige.**

1 Ausbildung
2 Berufserfahrung / besondere Fähigkeiten/Anforderungen
3 Sprachkenntnisse
4 Computerkenntnisse

c **Lesen Sie die Sätze und kreuzen Sie an.**

Ich spreche sowohl Deutsch als auch Spanisch.
Ich spreche nicht nur Deutsch, sondern auch Spanisch.

GRAMMATIK
sowohl … als auch / nicht nur … sondern auch bedeutet
○ Deutsch **und auch** Spanisch
○ Deutsch **oder** Spanisch

| ● Handy | ● Kleidung | ● Gesten | ● Gesichtsausdruck / ● Lächeln | ● Blickkontakt | ● Sitzhaltung |

AB

5   Daher bewerbe ich mich hiermit um …

interessant?

a   Wählen Sie eine Anzeige aus **3** oder suchen Sie eine Anzeige im Internet.
Markieren Sie die Anforderungen in der Anzeige wie in Aufgabe **4b**.

b   Welche Fragen passen zu den Anforderungen in „Ihrer" Anzeige?
Notieren Sie Antworten und ergänzen Sie weitere Fragen, wenn nötig.

1	Welche Berufserfahrung/ Ausbildung bringe ich mit?	Ich habe vor einem Jahr meine Ausbildung zur Industriekauffrau abgeschlossen. Danach habe ich ein Jahr telefonisch Kunden in … betreut.
2	Welche besonderen Fähigkeiten habe ich?	Ich telefoniere nicht nur gern, sondern habe auch eine angenehme Telefonstimme.
3	Welche Sprachen spreche ich?	Ich bin Polin und lerne seit fünf Jahren Deutsch. Ich spreche daher sowohl Polnisch als auch fließend Deutsch.
4	Welche Computerkenntnisse habe ich?	Ich habe Erfahrung mit Datenbanken.
…	…	

Diktat

c   Schreiben Sie nun ein Bewerbungsschreiben mit Ihren Sätzen aus **b**.

> Sehr geehrte/r Frau/Herr …
> Mit großem Interesse …
> Daher bewerbe ich mich hiermit um …
> Ich habe meine Ausbildung / mein Studium (mit der Note …) abgeschlossen.
> Danach habe ich bei … gearbeitet und erste Erfahrungen gesammelt.
> Als … gehörte es zu meinen Aufgaben …
> Dabei habe ich auch Erfahrungen mit … gesammelt/gemacht.
> Dort/Dabei habe ich gemerkt, dass ich sowohl … als auch … bin.
> Es hat mir Spaß/Freude gemacht, … / Ich kann mir gut vorstellen, … / Es fällt mir leicht, …
> Ich beherrsche …
> Sollten Sie noch Fragen haben, rufen Sie mich gern an.
> Über eine Einladung zu einem persönlichen Gespräch würde ich mich sehr freuen.
> Mit freundlichen Grüßen …

KOMMUNIKATION

6   Richtig und falsch im Bewerbungsgespräch
Worauf sollten Sie bei einem Bewerbungsgespräch achten?
Was sollten Sie nicht tun? Diskutieren Sie. Hilfe finden Sie im Bildlexikon.

- ■ Man sollte natürlich auf keinen Fall telefonieren oder SMS lesen.
- ● Ja, ich würde darauf achten, mein Handy auszuschalten.
- ▲ Wichtig ist auch, was man anhat!
- ■ Ja, man muss achtgeben, dass man keine Flecken auf der Kleidung hat.
  Und man sollte keine Jeans tragen.

7 Schön, dass Sie da sind.

▶ 2 09 **a** Über welche Themen wird gesprochen? Hören Sie das Vorstellungsgespräch und kreuzen Sie an.

☒ Interesse an Fremdsprachen | ◯ Ausbildung |
◯ Tätigkeiten in der alten Firma | ◯ Grund für den Arbeitgeberwechsel |
◯ Stärken & Schwächen | ◯ Computerkenntnisse |
◯ mögliche Gründe für Einstellung | ◯ erste Arbeitsaufgaben |
◯ Gehaltsvorstellungen | ◯ Arbeitszeiten

▶ 2 10–13 **b** Was antwortet Julian Bode? Hören Sie das Gespräch noch einmal abschnittsweise und notieren Sie Stichpunkte.

Abschnitt 1:
1 Erzählen Sie doch bitte etwas über sich.

Abschnitt 2:
2 Welche Aufgaben hatten Sie in Ihrer letzten Firma?
3 Warum bleiben Sie nicht bei dieser Firma?
4 Warum haben Sie sich gerade unser Unternehmen ausgesucht?

Abschnitt 3:
5 Können Sie mir noch drei persönliche Stärken nennen?
6 Was würden Sie als Ihre Schwächen bezeichnen?

Abschnitt 4:
7 Warum sollten wir gerade Sie einstellen?
8 Welches Einstiegsgehalt stellen Sie sich vor?

> 1 zweisprachig aufgewachsen, Reisen ins Ausland mit der Familie, frühes Interesse für andere Länder und Kulturen

AB **8 Rollenspiel: Bewerbungsgespräche**

a Als Antwort auf Ihre Bewerbung in **5c** sind Sie zu einem Vorstellungsgespräch eingeladen worden. Machen Sie sich Notizen zu den Fragen in **7b**.

Beruf | Beruf

b In welchen Gesprächsphasen kann man die Redemittel verwenden? Machen Sie eine Tabelle.

KOMMUNIKATION

> Danke für die Einladung zum Gespräch. | Es fällt mir leicht, … | Haben Sie denn noch eine Frage an mich? | Ich konnte in verschiedenen Bereichen Erfahrungen sammeln. So war ich … Dabei habe ich … | Ich mache … (nicht so) gern. | Gut, Frau/Herr …, wir melden uns dann in ein paar Tagen bei Ihnen. | ~~Ich möchte gern etwas Neues machen und mich weiterentwickeln.~~ | Schön, dass Sie da sind. | Ich habe mir Ihr Unternehmen im Internet angeschaut und gesehen, dass … | Ich denke, dass ich bei Ihnen viele Möglichkeiten habe und … | ~~Ich erledige meine Aufgaben sowohl … als auch …~~ | Vielen Dank, dass Sie hier waren. | Manchmal bin ich etwas … | Setzen Sie sich doch!

Gesprächseinstieg	
Erfahrungen bisher / Qualifikation / Grund für die Bewerbung	*Ich möchte gern etwas Neues machen und mich weiterentwickeln.*
Stärken und Schwächen	*Ich erledige meine Aufgaben sowohl … als auch …*
Gesprächsabschluss	

c Ihre Partnerin / Ihr Partner übernimmt die Rolle des Arbeitgebers und stellt Fragen wie in **7b**. Spielen Sie ein Vorstellungsgespräch. Tauschen Sie anschließend die Rollen.

AB **9**
Welcher Beruf passt?

a Wählen Sie einen Beruf und notieren Sie sechs Ausdrücke, die Ihnen zu dem Beruf einfallen.

Anwalt | Notar | Makler | Hausmeister | Arzt |
Architekt | Beamter | Reporter | Schriftsteller |
Handwerker | Wissenschaftler | Physiklehrer |
Psychologe | Fotograf | Sozialarbeiter | Dichter |
Briefträger | Präsident | Unternehmer

unglücklich verliebt
arm
viele Reisen
einsame Wanderungen
Fantasie
romantisch

b Arbeiten Sie in Gruppen.
Präsentieren Sie Ihre Liste.
Können die anderen den Beruf erraten?

■ Das könnte ein Reporter sein, denn Reporter, die aus dem Ausland berichten, sind viel auf Reisen.
● Nein, es ist kein Reporter.

GRAMMATIK

Audiotraining | Karaoke

zweiteilige Konjunktionen
sowohl … als auch /
nicht nur …, sondern auch
(Aufzählungen)

Ich spreche sowohl Deutsch
als auch Spanisch.
Ich spreche nicht nur Deutsch,
sondern auch Spanisch.
= Ich spreche Deutsch und
auch Spanisch.

KOMMUNIKATION

sich schriftlich bewerben

Mit großem Interesse …
Daher bewerbe ich mich hiermit um …
Ich habe meine Ausbildung / mein Studium (mit der Note …)
  abgeschlossen.
Danach habe ich bei … gearbeitet und erste Erfahrungen gesammelt.
Als … gehörte es zu meinen Aufgaben …
Dabei habe ich auch Erfahrungen mit … gesammelt/gemacht.
Dort/Dabei habe ich gemerkt, dass ich sowohl … als auch … bin.
Es hat mir Spaß/Freude gemacht, … / Ich kann mir gut vorstellen, … /
  Es fällt mir leicht, …
Ich beherrsche …
Sollten Sie noch Fragen haben, rufen Sie mich gern an.
Über eine Einladung zu einem persönlichen Gespräch würde ich mich
  sehr freuen.

ein Bewerbungsgespräch führen

Danke für die Einladung zum Gespräch. | Schön, dass Sie da sind. |
Setzen Sie sich doch!

Ich konnte in verschiedenen Bereichen Erfahrungen sammeln. So war
ich … Dabei habe ich … | Ich möchte gern etwas Neues machen und
mich weiterentwickeln. | Ich habe mir Ihr Unternehmen im Internet
angeschaut und gesehen, dass … | Ich denke, dass ich bei Ihnen viele
Möglichkeiten habe und …

Ich mache … (nicht so) gern. | Ich erledige meine Aufgaben sowohl …
als auch … | Manchmal bin ich etwas … | Es fällt mir leicht, …

Haben Sie denn noch eine Frage an mich?
Gut, Frau/Herr …, wir melden uns dann in ein paar Tagen bei Ihnen.
Vielen Dank, dass Sie hier waren.

Kannitverstan

oder Wie der Mensch mit seinem Schicksal zufrieden werden kann, auch wenn ihm keine gebratenen Tauben in den Mund fliegen.

Nach einer Erzählung von Johann Peter Hebel (1808)

○ Einmal reiste ein deutscher Handwerksbursche in die reiche Handelsstadt Amsterdam. Dort fiel ihm ein besonders schönes Haus auf. Er wollte wissen, wem das Haus gehörte. Darum fragte er einen Mann: „Guter Mann, können Sie mir sagen, wie der Herr heißt, dem dieses wunderschöne Haus gehört?"

○ Er ging in seinen Gasthof zurück und aß mit gutem Appetit. Und, wenn er sich wieder einmal darüber ärgerte, dass so viele Leute auf der Welt reich waren und er so arm, dachte er an den Herrn Kannitverstan in Amsterdam.

③ Ein paar Straßen weiter kam er an den Hafen, wo viele beladene Schiffe standen. Ein Schiff war besonders groß. Daher wurde der Handwerksbursche neugierig. Er fragte einen Mann, der einen Sack Pfeffer auf dem Rücken trug: „Lieber Freund, wie heißt denn der glückliche Mann, dem alle diese Waren gehören?"

○ Der Mann, der kein Deutsch verstand, antwortete: „Kannitverstan". Das war ein niederländisches Wort. Oder besser gesagt: vier Wörter. Sie bedeuten: Ich kann nicht verstehen. Der Handwerksbursche aber dachte: „Kannitverstan? Das muss ein reicher Mann sein."

○ „Hoffentlich geht es mir auch einmal so gut, wie diesem Herrn Kannitverstan!" In diesem Moment kam ein Wagen mit einem Sarg darauf um die Ecke. Stumm folgten zahlreiche Menschen dem Leichenwagen. Der Handwerksbursche fragte den letzten: „War das ein guter Freund von Ihnen? Weil Sie so traurig sind."

○ „Kannitverstan", war die Antwort. „Ha!", dachte der Handwerksbursche. „Kein Wunder, dass dieser Kannitverstan schöne Häuser bauen kann, wenn er ein so erfolgreicher Händler ist." Gleichzeitig wurde er traurig, weil er selbst so arm war. Aus diesem Grund wünschte er:

○ „Kannitverstan", antwortete der Trauernde. Da wurde es unserem Handwerksburschen auf einmal sowohl schwer als auch leicht ums Herz. „Armer Kannitverstan!", rief er. „Was hast du nun von deinem Reichtum? Nicht mehr als ich, wenn ich sterbe."

---

1 **Lesen Sie und sortieren Sie die Abschnitte.**

2 **Machen Sie Notizen zu den Zeichnungen und erzählen Sie die Geschichte nach.**

- Handwerker aus Deutschland
- Reise nach ...
- ...

1 Sprachliche Missverständnisse

a Was sehen Sie auf den Zeichnungen? Notieren Sie.
Überlegen Sie dann zu zweit, welche Zeichnungen zusammenpassen könnten.

Schwager

▶ Clip 5 **b** Was ist richtig? Sehen Sie den ganzen Film, stoppen Sie nach jeder Geschichte und
kreuzen Sie an.

① Die junge Frau lernt ○ in einem Kurs ○ nur zu Hause Deutsch.
Marcs Bruder ist ○ ihr Schwager. ○ der Vater ihres Kindes.

② Mit „appetitlich" meinte sie, dass sie ○ Hunger hat. ○ gut aussieht.
Als sie aus ihrer Wohnung ausziehen musste, wollte sie die Wände
○ malen. ○ tapezieren.

③ Die junge Frau sollte ○ Äpfel ○ Apfelsinen für ihre Chefin kaufen.
Sie hat ○ Äpfel ○ Orangen gekauft.

④ Der Ägypter wollte ○ etwas kochen. ○ Essen gehen.
Er wusste nicht, dass Pfund ○ Geld ○ eine Gewichtseinheit ist.

⑤ Die ○ Mieterin ○ Vermieterin hat zwei Katzen.
Die Mieterin hat die Katzen ○ gegessen. ○ mit Futter versorgt.

2 Sprachliche Missverständnisse nachspielen

a Arbeiten Sie zu zweit und wählen Sie das Missverständnis aus dem Film, das Ihnen
am besten gefällt. Schreiben Sie ein Gespräch, das zu der Geschichte passt.

b Spielen Sie die Szene im Kurs.

1 **Die Volkshochschulen. Lesen Sie und korrigieren Sie.**

Volkshochschulen (VHS) dienen der Erwachsenenbildung. Sie stehen für das Recht auf Bildung, die Möglichkeit zu lebenslangem Lernen und für Chancengerechtigkeit. Viele Volkshochschulen wurden mit Einführung der Demokratie gegründet. Die neue Demokratie brauchte mitdenkende
5 Bürger. An Volkshochschulen konnten und können sich alle Menschen weiterbilden, unabhängig von ihrer Herkunft und ihrer Ausbildung.

Wichtig für die Entwicklung der Volkshochschulen war der dänische Pädagoge und Theologe Nikolai Frederik Severin Grundtvig (1783 – 1872). Er gründete bereits 1844 die erste dänische Heimvolkshochschule. In Deutschland entstanden die meisten Volkshochschulen nach dem
10 Ersten Weltkrieg.

An Volkshochschulen sollen möglichst viele Menschen Kurse belegen können. Die Einrichtungen machen keine Gewinne und werden vom Staat finanziell unterstützt. Daher können sie ihre Kurse relativ preiswert anbieten.

Heute gibt es in Deutschland rund 900, in Österreich etwa 280 und in der Schweiz
15 ca. 30 Volkshochschulen. Die Kursangebote sind vielfältig. Es gibt nicht nur Sprach- kurse und Computerkurse, sondern auch Kurse zu Themen wie Politik, Kultur und Gesundheit. Besonders Kochkurse sind zurzeit sehr gefragt: Egal, ob Sie vegan kochen möchten oder ob Sie Angebote zu landesspezifischer Küche suchen – es gibt sicher einen passenden Kurs in Ihrer Nähe.

a An Volkshochschulen können Erwachsene ~~eine Ausbildung machen.~~ *sich weiterbilden*
b Der österreichische Pädagoge N.F.S. Grundtvig beeinflusste die deutschen Volkshoch- schulen.
c Die meisten deutschen Volkshochschulen entstanden im 19. Jahrhundert.
d Die Volkshochschulen werden von Unternehmen unterstützt.
e In Deutschland gibt es heute etwa 900 Kochkurse.

2 **Sie möchten einen Kochkurs in einem deutschsprachigen Land besuchen.**

a Recherchieren Sie im Internet oder in Katalogen von Weiterbildungseinrichtungen und machen Sie Notizen zu den Fragen.

1 Wer bietet den Kurs an?
2 Welchen Titel hat der Kurs?
3 Was kocht man in dem Kurs?
4 Wann und wie oft findet der Kurs statt?
5 Was kostet der Kurs?

b Präsentieren Sie „Ihren" Kochkurs im Kurs.

Anbieter: Volkshochschule Jena

Kurstitel: Mediterrane Küche – italienischer Kochkurs

Kursinhalt: Sie kochen ein 3-Gänge-Menü, das dann im Anschluss gemeinsam gegessen wird. Gleichzeitig erfahren Sie etwas über die italienische Küche und regionale Besonderheiten. Außerdem erhalten Sie zahlreiche Koch- und Ernährungstipps.

Termin: 15. Oktober von 17:00 bis 20:00 Uhr

Kosten: 37,50 € + Lebensmittelkosten

Kurs 303

Ⓚ Hier Volkshochschule, guten Tag,
Sie sprechen mit Frau Keinefrag.
Was wünschen Sie, was kann ich tun?
Ich hör' Sie nicht, was ist denn nun?

◯ Ja, guten Tag, hier Gernegroß,
bin leider sowohl arbeitslos
als auch seit Langem suchend,
deswegen möcht' ich buchen:

_____

ich glaub', das ist Kurs drei null drei.

Kurs zwei null zwei?

_____

Moment – ich leite weiter an den
Herrn Kursleiter.

Nein! Äh, Moment, ich wollte doch
eigentlich ... Ähm, hallo ...

◯ Hier Volkshochschule, guten Morgen,
Sie sprechen mit Herrn Ohnesorgen.
Was wünschen Sie, was kann ich tun?
Ich hör' Sie nicht, was ist denn nun?

Ja, guten Tag, hier Gernegroß,
bin leider nicht nur arbeitslos,
sondern auch seit Langem suchend,
darum möcht' ich jetzt buchen:

_____

ich glaub', das ist Kurs drei null drei!

Kurs drei null zwei?
Ach ja, da ist noch etwas frei.

_____?

Einen Moment, ich verbinde!

Oh, nein! Moment! Hallo! Hallo! Hallo!

◯ Hier Volkshochschule, Tag, hallo,
Sie sprechen mit Frau Sowieso.
Was wünschen Sie, was kann ich tun?
Ich hör' Sie nicht, was ist denn nun?

Ja, guten Tag, hier Gernegroß,
bin leider sowohl arbeitslos
als auch seit Langem suchend,
deshalb möcht' ich jetzt buchen:

_____

ich glaub', das ist Kurs: Drei! Null! Drei!

Meinen Sie Kurs drei null drei?

_____?

Ja, ja, genau, endlich geht's weiter!
Denn da suchen wir 'nen Leiter!
Äh, nein! Nein, ich wollt' doch nur
fragen, ob ...
Sie haben den Job!

▶ 2 14 **1** **Welchen Kurs möchte Frau Gernegroß buchen und was verstehen die anderen Personen?**
Was meinen Sie? Lesen Sie und ergänzen Sie die passenden Kurstitel.
Hören Sie dann das Lied und vergleichen Sie.

„Malen ohne Staffelei" | „Bewerben gut und einwandfrei" (4x) | „Komponieren für Blinde"

2 **Frau Keinefrag (K), Frau Gernegroß (G), Herr Ohnesorgen (O) oder Frau Sowieso (S)?**

a Wer singt welche Strophe? Lesen Sie und notieren Sie den passenden Buchstaben.

▶ 2 14 **b** Teilen Sie den Kurs in vier Gruppen (Frau Keinefrag, Frau Gernegroß, Herr Ohnesorgen,
Frau Sowieso): Hören Sie das Lied noch einmal und singen Sie „Ihre" Strophen mit.

1 **Ich will ja nicht neugierig sein, aber ...**

a Was meinen Sie?
Wer sind die Personen und
wie gut kennen sie sich?

Ich denke, die beiden sind verwandt.
Vermutlich ist ...

▶ 2 15 **b** Hören Sie und vergleichen Sie mit Ihren Vermutungen aus **a**.

2 **Haben Sie schon einmal eine interessante Reisebekanntschaft gemacht?**

Ja, als ich vor einem Jahr mit dem Zug nach ... gefahren bin,
bin ich einem sehr ungewöhnlichen Menschen begegnet. ...

Hören: Jugenderlebnisse

Sprechen: Wichtigkeit
ausdrücken: *Ich konnte es
kaum erwarten, bis ...;*
auf Erzählungen reagieren:
*Das ist heute kaum vor-
stellbar.*

Wortfelder: Erinnerungen
und Beziehungen

Grammatik: *nicht/nur
brauchen* + Infinitiv mit
*zu: Wir brauchten uns um
nichts zu kümmern.*

AB **3** Spiel & Spaß

3 Was fällt Ihnen zum Thema „Jugend" ein? Überlegen Sie zu zweit und notieren Sie.
Ergänzen Sie auch Wörter aus dem Bildlexikon.
Vergleichen Sie dann mit einem anderen Paar.

Freundschaft   viele Tränen

Jugend

erste große Liebe

4 Ach, das war eine herrliche Zeit!

▶ 2 16 **a** Über welche Themen sprechen die beiden Personen?
Hören Sie und kreuzen Sie an.

○ Zeit während des Krieges | ○ Jugend |
○ Pflichten und Aufgaben im Elternhaus |
○ Beziehungsprobleme | ○ Generationenkonflikte

▶ 2 17 **b** Was ist richtig? Hören Sie den Anfang des Gesprächs noch einmal und kreuzen Sie an.

interessant?

1 Nach dem Krieg war es schwierig,
○ einen normalen Familienalltag zu führen.
○ Arbeit zu finden.
○ sich an die guten Zeiten zu gewöhnen.

2 Ende der 50er-Jahre
○ kamen die Männer aus dem Krieg zurück.
○ ging es mit der Wirtschaft wieder aufwärts.
○ verloren viele ihren ganzen Besitz.

▶ 2 18 **c** Wie sah die Jugend der beiden aus? Hören Sie weiter und
machen Sie Notizen zu den Fragen.

	ÄLTERE DAME	JUNGER MANN
1 Wo trafen/treffen sich die jungen Leute?		
2 Welche Aufgaben hatten sie im Haushalt?		
3 Was war erlaubt/verboten?		
4 In welchem Alter hatten sie ihre erste Beziehung?	21	

▶ 2 19 **d** Hören Sie das Ende des Gesprächs und kreuzen Sie an.

noch einmal?

1 Die ältere Dame kann nicht verstehen, dass junge Leute heute
○ zufrieden ○ unzufrieden sind.
2 Sie meint, dass junge Leute heute ○ viele ○ wenige Freiheiten haben.
3 Der junge Mann meint, dass seine Jugend ○ schwer ○ leicht war.
4 Er findet, dass Jugendliche sich heute ○ nicht mehr ○ immer noch
von ihren Eltern abgrenzen müssen.

AB ▌**5** **Welche Bedeutung hat *nur/nicht brauchen*?**

Lesen Sie die Beispiele, markieren Sie die Verben mit *zu* und kreuzen Sie dann an.

Im Haushalt **brauchte** ich in den Jahren vor dem Abitur **nicht** zu helfen. Ich **brauchte** **nur** mein Zimmer in Ordnung zu halten. Wir **brauchten** uns um **nichts** zu kümmern.

> Nach nur/nicht brauchen steht der Infinitiv mit zu.
> nur/nicht brauchen + Infinitiv mit *zu* hat die gleiche Bedeutung wie
> ○ (nicht) können. ○ (nicht) müssen. ○ (nicht) wollen.

▌**6** **Aktivitäten-Bingo: Wer brauchte …? Arbeiten Sie auf Seite 169.**

AB ▌**7** **Jedes Familienmitglied hatte seine Aufgaben zu erledigen.**

a Ordnen Sie die Zitate A–D aus dem Gespräch in **4** den passenden Fragen zu.

1 Wo hat sich die Jugend getroffen? _____
2 Was war erlaubt/verboten? _____
3 Was mussten Sie im Haushalt machen? _____
4 Wollten/Wollen Sie sich von Ihren Eltern abgrenzen? __A__
   Was haben Sie gemacht / machen Sie?

A Tatsächlich sind wir – im Gegensatz zu Ihrer Generation – fast sorglos aufgewachsen, wir brauchten uns um nichts zu kümmern. Und trotzdem müssen wir uns von unseren Eltern abgrenzen. Mir kam es vor allem darauf an, möglichst lange wegzubleiben und am nächsten Tag erst nachmittags aufzustehen.

B Meine Mutter war zwar sehr großzügig und ich durfte auch ausgehen, aber wenn ich vor Mitternacht nicht zu Hause war, dann war der Tanztee am nächsten Wochenende mit Sicherheit gestrichen.

C Der Tanztee war die einzige Veranstaltung für die Jugend damals. Da gingen alle hin.

D Am Wochenende hatte jedes Familienmitglied seine Aufgaben zu erledigen. Ich war verantwortlich für die Kleidung.

b Wie finden Sie die Aussagen in **7a**? Vergleichen Sie sie auch mit Ihren eigenen Erfahrungen. Was war Ihnen in Ihrer Jugend wichtig?

■ „Am Wochenende hatte jedes Familienmitglied seine Aufgaben zu erledigen." Das war bei uns auch so. Bei uns auf dem Hof gab es immer viel zu tun, vor allem bei der Ernte. Da mussten auch die Kinder helfen. Das mochte ich gar nicht. Ich war, so oft ich konnte, bei meinen Freunden und …

auf Erzählungen reagieren	Wichtigkeit ausdrücken
Bei uns kam das nicht infrage.	Es kam mir darauf an, …
Das war bei uns nicht vorstellbar / auch so.	Am wichtigsten war mir …
Das können wir uns heute gar nicht mehr / immer noch sehr gut vorstellen.	Für mich war es sehr wichtig, dass …
	Ich ging/war, so oft ich konnte, …
Das ist heute kaum mehr / gut vorstellbar.	Ich konnte es kaum erwarten, bis …
Das ging mir genauso / ganz anders.	Ich legte größten Wert auf …
Das kann ich gut / ehrlich gesagt nicht verstehen.	Das war mir (nicht so) wichtig.

AB **8** **Eine Traumreise in Ihrer Jugend**

▶ 2 20 **a** Schließen Sie die Augen und hören Sie. Erinnern Sie sich an Ihre Jugend. Sie machen eine große Reise. Der Zug fährt ein und Sie steigen ein. Reisen Sie weiter und behalten Sie Ihre Eindrücke.

1 Unterwegs: Wie ist die Reise? / Wie fühlen Sie sich? / …
2 Ankunft: Wo kommen Sie an? / Wie sieht es dort aus? / Gefällt es Ihnen dort? / …
3 Aktivitäten am Zielort: Wem begegnen Sie? / Was machen Sie? / Wie geht es Ihnen? / …

b Öffnen Sie langsam die Augen und machen Sie Notizen von Ihren Eindrücken.

> *mit 16 Jahren — ohne Eltern — glücklich — in den Süden*

c Verwenden Sie Ihre Notizen und schreiben Sie einen Text über Ihre Reise.

> *Ich bin 16 Jahre alt. Ich stehe zusammen mit meinem besten Freund am Bahnhof und bin aufgeregt und glücklich. Die letzten Ratschläge unserer Eltern hören wir schon nicht mehr. Die Reise geht in den sonnigen Süden. Wir sind fest entschlossen, jeden Tag zu genießen. …*

Audiotraining

Karaoke

GRAMMATIK

nicht/nur brauchen + Infinitiv mit zu

Im Haushalt brauchte ich in den Jahren vor dem Abitur nicht zu helfen.
Ich brauchte nur mein Zimmer in Ordnung zu halten.

KOMMUNIKATION

auf Erzählungen reagieren

Bei uns kam das nicht infrage.
Das war bei uns nicht vorstellbar / auch so.
Das können wir uns heute gar nicht mehr / immer noch sehr gut vorstellen.
Das ist heute kaum mehr / gut vorstellbar.
Das ging mir genauso / ganz anders.
Das kann ich gut / ehrlich gesagt nicht verstehen.

Wichtigkeit ausdrücken

Es kam mir darauf an, …
Am wichtigsten war mir …
Für mich war, es sehr wichtig, dass …
Ich ging/war, so oft ich konnte, …
Ich konnte es kaum erwarten, bis …
Ich legte größten Wert auf …
Das war mir (nicht so) wichtig.

Sprechen: eine Lebensgeschichte nacherzählen:
*Gabriele Münter wird am
19. 2. 1877 in Berlin geboren.*

Lesen/Schreiben:
Biografie

Wortfelder: Kunst und
Malerei

Grammatik: Ausdrücke
mit es: *Es war damals
für Frauen noch nicht
möglich, …*

1 Wusstest du, dass …?

a Was meinen Sie? Worüber sprechen die beiden?
Sehen Sie das Foto an und schreiben Sie ein Gespräch.
Spielen Sie dann im Kurs.

> ■ *Guck mal, da drüben. Das sieht ja toll aus.*
> ▲ *Was meinst du? …*

▶ 2 21 **b** Hören Sie und vergleichen Sie mit Ihren Vermutungen in **a**.

> *Wir dachten, die beiden sind
> überrascht von …, aber …*

2 Gehen Sie gern ins Museum? Interessieren Sie sich für Kunst? Erzählen Sie.

| • Galerie | • Ausstellung/ausstellen | • Maler / • Künstler | • Stillleben | • Landschaft | • Hügel | • Mauer |

3 **Sehen Sie das Bild an. Was sieht man?**
Wie gefällt es Ihnen? Hilfe finden Sie im Bildlexikon.

AB **4** **Gabriele Münters Leben**

a Überfliegen Sie die Biografie und ergänzen Sie die
passenden Überschriften.

Späte Anerkennung | ~~Anfangsjahre~~ | Beziehung zu Kandinsky |
Leben in Murnau | Ausbildung | Schwierige Jahre | Reise in die USA

Gabriele Münter:
Landschaft mit weißer Mauer (1910)

Anfangsjahre

Gabriele Münter wird am 19. Februar 1877 in
Berlin geboren. Sie zeigt schon früh eine große
künstlerische Begabung. Darum besucht sie im
5   Frühjahr 1897 eine Damenkunstschule in Düsseldorf. 1886 stirbt ihr Vater, im November 1897
auch die Mutter. Gabriele gibt daraufhin ihre
Ausbildung wieder auf.

10 Es ist nicht leicht für Gabriele, so früh beide
Eltern zu verlieren. Doch das Erbe der Eltern
ermöglicht ihr eine Reise. Zusammen mit ihrer
älteren Schwester Emmy reist sie zwei Jahre lang
durch Missouri, Arkansas und Texas. Eine Reise,
15 von der Gabriele Münter nicht nur viele Eindrücke, sondern auch viele Fotos mitbringt.

Nach ihrer Rückkehr zieht
Gabriele Münter nach
20   München und widmet
sich wieder der Malerei.
Es war damals für Frauen
noch nicht möglich, an der
Kunstakademie zu stu-
25   dieren. Deshalb besucht
Gabriele Münter private
Malschulen. 1902 lernt sie
den russischen Maler Wassily Kandinsky kennen.
Er unterrichtet Malerei. Es ist Sommer, als sie sich
30 während eines Malkurses in ihn verliebt.

1903 macht Kandinsky Gabriele Münter einen
Heiratsantrag, obwohl er noch verheiratet ist.
Vier Jahre lang gehen die beiden auf Reisen. Es
35 entstehen viele Arbeiten von Gabriele Münter.
1908 mietet das Paar schließlich eine gemeinsame Wohnung in München.

1909 kauft Gabriele Münter ein Landhaus in Mur-
40 nau am Staffelsee, das heute noch das „Russenhaus" genannt wird. Dort empfängt das Paar viele
Besucher, darunter viele Malerfreunde. 1911 gründet Gabriele Münter zusammen mit Kandinsky,
Franz Marc und Alfred Kubin die Künstlergruppe
45 *Der Blaue Reiter.*

1914 bricht der Erste Weltkrieg aus. Da Deutschland mit Russland im Krieg ist, wird Kandinsky
als „feindlicher Ausländer" angesehen. Gabriele
50 Münter flieht mit ihm nach Stockholm. 1916 kehrt
Kandinsky nach Russland zurück und bricht den
Kontakt zu Gabriele ab. Der Grund: Er hat wieder
geheiratet. Nach der Trennung lebt Gabriele Münter abwechselnd in Kopenhagen, Köln, München
55 und Murnau. In diesen Jahren geht es ihr nicht
gut. Da sie unter Depressionen leidet, fällt es ihr
schwer, zu malen. 1925 zieht sie in ihren Geburts-
ort Berlin. Dort lernt sie 1927 Johannes Eichner
kennen. Mit ihm geht sie 1931 wieder nach Murnau
60 zurück. Dort entstehen viele Blumenstillleben.
Während der Zeit des Nationalsozialismus darf
Gabriele Münter nicht ausstellen. Sie versteckt
wichtige Bilder von Kandinsky und rettet sie so
vor der Zerstörung durch die Nationalsozialisten.
65

1949 findet im Münchner Haus der Kunst eine
Ausstellung des *Blauen Reiter* statt. Das Museum
zeigt auch Arbeiten von Gabriele Münter. Zu ihrem
80. Geburtstag schenkt die Malerin der Stadt
70 München über 80 Bilder Kandinskys sowie andere
Arbeiten des *Blauen Reiter* und viele eigene Werke.
Die Bilder sind heute im Lenbachhaus zu sehen.
Auch das „Russenhaus" in Murnau kann man be-
sichtigen, in dem Gabriele Münter so viele glück-
75 liche Jahre verbracht hat und 1962 gestorben ist.

b Lesen Sie die Biografie noch einmal und ergänzen Sie den Steckbrief.

GABRIELE MÜNTER

1877 am 19. Februar 1877 in Berlin geboren	1916
1897	1925 Umzug nach …
1899–1900 Nach dem Tod der Eltern …	1927
1902	1931
1903	1937–1945 Ausstellungsverbot …
1908 Kandinsky und Münter ziehen …	1949
1909	1957
1911	1962 in Murnau gestorben
1914 Nach Beginn des Ersten Weltkriegs …	

das Russenhaus

c Vergleichen Sie mit Ihrer Partnerin / Ihrem Partner und sprechen Sie.

■ Gabriele Münter wird am 19. Februar 1877 in Berlin geboren.

● Ja, und im Frühjahr 1897 besucht sie die Damenkunstschule in Düsseldorf. Denn …

KOMMUNIKATION

… kommt am … zur Welt / wird am … geboren. | Nach dem Tod ihrer/seiner Eltern / Nach der Ausbildung / Nach dem Studium … | Mit … Jahren lebt/reist sie/er … | Zu ihrem/ seinem … Geburtstag … | Im Sommer 1903 … | Während des Ersten Weltkriegs / der Zeit des Nationalsozialismus … | Nach der Trennung … | … stirbt mit … Jahren in …

AB **5 Es ist Sommer, als …**

a Machen Sie eine Tabelle und ordnen Sie zu.

Es fällt ihr schwer, zu … | Es geht ihr nicht gut. | Es gibt … |
Es hat kurz vorher geregnet. | Es ist nicht leicht, … | Es ist Sommer, … |
Es war damals noch nicht möglich, … | Es war eher bewölkt. | Es donnert und blitzt.

KRRR

„es" in festen Wendungen	Tages- und Jahreszeiten	Wetter	Befinden
Es ist schwierig, …	Es ist schon Abend/Nacht.	Es schneit/regnet.	Wie geht es Ihnen?
Es lohnt sich.		Es ist sonnig/neblig/…	

b Gesprächspuzzle erstellen: Wie geht es Ihnen? Arbeiten Sie zu zweit auf Seite 170.

AB **6 Mich beeindruckt besonders …**

a Was halten Sie von Gabriele Münters Leben? Erzählen Sie.

b Welcher Künstler beeindruckt Sie besonders? Warum? Erzählen Sie.

Ich hätte nicht gern zu Gabriele Münters Zeit gelebt. Frauen hatten es damals wirklich nicht leicht. Sie mussten gegen viele Vorurteile kämpfen und waren nicht gleichberechtigt.

Bruce Springsteen finde ich klasse. Er ist nicht nur ein toller Musiker, sondern nimmt auch Einfluss auf die Politik und setzt sich für Menschenrechte ein. …

interessant? | Diktat | Spiel & Spaß

Spiel & Spaß

7 **Biografien erfinden**

a Arbeiten Sie in Gruppen und erfinden Sie eine interessante Künstlerbiografie.
Schreiben Sie einen Steckbrief.

Geburtsort/Geburtsjahr | Kindheit und Jugend | Ausbildung | Arbeit |
Ruhm/Anerkennung | Reisen | Heirat | gestorben in … | …

Beat Egger
1947 am 20. Mai in Basel geboren
1959 Eltern sterben bei Verkehrsunfall, lebt bei seinen strengen Großeltern
1961–1962 lebt auf der Straße, verhaftet wegen Drogenbesitz und Diebstahl
1963 zieht zu seinem Onkel nach Los Angeles, nimmt keine Drogen und trinkt nicht mehr
1964 schreibt Buch über seine wilde Jugend
1965 Buch wird verfilmt, spielt sich selbst in dem Film, großer Erfolg, Liebling der Medien

b Präsentieren Sie Ihre Künstlerin / Ihren Künstler im Kurs und stimmen Sie ab:
Welche Gruppe hat die interessanteste Biografie erfunden?

Audiotraining | Karaoke

GRAMMATIK

Ausdrücke mit *es*	
es in festen Wendungen	Es ist schwierig / nicht leicht / noch nicht möglich, … Es lohnt sich. Es gibt … Es fällt ihr schwer, zu …
Tages- und Jahreszeiten	Es ist schon Abend/Nacht. Es ist Sommer/Winter/…
Wetter	Es schneit/regnet. Es ist sonnig/neblig/… Es hat kurz vorher geregnet. Es war eher bewölkt. Es donnert und blitzt.
Befinden	Wie geht es Ihnen? Es geht ihr nicht gut.

KOMMUNIKATION

eine Lebensgeschichte nacherzählen

… kommt am … zur Welt / wird am …
   geboren.
Nach dem Tod ihrer/seiner Eltern / Nach der
   Ausbildung / Nach dem Studium …
Mit … Jahren lebt/reist sie/er …
Zu ihrem/seinem … Geburtstag …
Im Sommer 1903 …
Während des Ersten Weltkriegs / der Zeit des
   Nationalsozialismus …
Nach der Trennung …
… stirbt mit … Jahren in …

Hören: Reportage

Sprechen: diskutieren:
*Davon halte ich nicht viel,
denn ...*

Lesen: Umfrage

Wortfelder: Politik und
Gesellschaft

Grammatik: zweiteilige
Konjunktionen *weder ...
noch, entweder ... oder,
zwar ... aber*

1 **Sehen Sie das Foto an. Was meinen Sie?**
Wo sind die Jugendlichen und was machen sie dort?

▶ 2 22 **2** **Was ist richtig? Hören Sie und kreuzen Sie an.**

○ Ein Politiker hält eine Rede zum Jahrestag der Wiedervereinigung.
Es geht um die Frage, ob die Versprechen dazu umgesetzt wurden.

○ Der Bundeskanzler hält eine Rede zur deutschen Einheit. Er verspricht
den Menschen in der ehemaligen DDR „blühende Landschaften".

Der **Tag der Deutschen Einheit (3.10.)** ist der deutsche Nationalfeiertag.
Es wird die Wiedervereinigung der BRD (= Bundesrepublik Deutschland)
und der DDR (= Deutsche Demokratische Republik) gefeiert.

• Kernenergie

 • Windenergie

 • Umwelt-/Klimaschutz

 • Tierschutz

 • Datenschutz

 • Bildung

• Forschung

3 **Politik in Deutschland**

a Was wissen Sie schon?

1 Kennen Sie Politiker aus Deutschland, z. B. Bundeskanzler/in, einzelne Minister?

2 Welche Parteien kennen Sie? Wofür stehen sie?

b Welche Partei passt? Ordnen Sie zu.

1 Sozialdemokratische Partei Deutschlands

2 Bündnis 90 / Die Grünen

3 Christlich Demokratische Union

4 Christlich-Soziale Union in Bayern

5 Freie Demokratische Partei

6 Die Linke

4 **Wer geht überhaupt noch zur Wahl?**

a Was passt? Verbinden Sie. Hilfe finden Sie im Wörterbuch.

1 Die Demokratie   sind alle Parteien, die im Parlament sitzen und nicht an der Regierung beteiligt sind.

2 Die Regierung   können Bürger zum Beispiel bei Demonstrationen oder in Bürgerinitiativen zum Ausdruck bringen.

3 Die Opposition   wird von der Partei / den Parteien gebildet, die bei Wahlen die Mehrheit der Stimmen bekommt/bekommen.

4 Ihre politische Meinung   ist eine Staatsform, in der vom Volk frei gewählte Vertreter regieren.

▶ 2 23 **b** Was ist richtig? Hören Sie den Anfang der Reportage und kreuzen Sie an.

1 Politikverdrossenheit bedeutet: ○ ein großes ○ ein geringes   Interesse an Politik

2 Die Reportage geht der Frage nach,

○ ob das Interesse der Jugendlichen an Politik tatsächlich immer weiter sinkt.

○ ob und wen Jugendliche bei der letzten Wahl gewählt haben.

▶ 2 24 **c** Was meinen Sie? In welche Zeit passen die Aussagen? Ordnen Sie zu. Hören Sie dann die Reportage weiter und vergleichen Sie.

1980er-Jahre ○   1990er-Jahre ○   seit einigen Jahren ○

1 Das Interesse an Politik nimmt zu. Es werden Unterschriften gesammelt und Waren boykottiert. Jugendliche nehmen an Protesten, Demonstrationen und Bürgerinitiativen teil.

2 Es ist „in", politisch zu sein. Viele Jugendliche sind politisch aktiv. Sie engagieren sich und die Wahlbeteiligung ist hoch.

3 Nur noch eine Minderheit der jungen Leute bezeichnet sich als „politisch interessiert". Das liegt vor allem an einer Parteienverdrossenheit durch nicht eingehaltene Wahlversprechen und durch die Skandale einiger Minister.

| Frieden | • Gesundheit | • Arbeitslosigkeit | • Kinderbetreuung | • Steuern / • Finanzen | • Wirtschaft | • Sicherheit |

18

▶ 2 24 **d** Für welche Themen interessieren sich die Jugendlichen?
Hören Sie noch einmal und notieren Sie die passenden Begriffe aus dem Bildlexikon.

e Und Sie? Interessieren Sie sich für Politik? Welche Themen sind Ihnen wichtig?

AB **5** **Jugendliche interessieren sich weder für die CDU noch für die SPD.**

a Ordnen Sie zu.

| weder ... noch | zwar ... aber | entweder ... oder |

> **GRAMMATIK**
> entweder ... oder = oder
> weder ... noch = nicht ... und nicht ...
> zwar ... aber = obwohl

Die Gründe waren _____ nicht eingehaltene Wahlversprechen
_____ die Skandale einiger Minister. _____ waren
den jungen Leuten die Volksvertreter volksnah genug, _____ konnten
sie die Parteien gut genug voneinander unterscheiden. _____ hält
die eindeutige Mehrheit der Jugendlichen die Demokratie immer noch für die beste
Staatsform, _____ die etablierten Parteien profitieren kaum davon.

b Ich interessiere mich zwar für ... Arbeiten Sie zu zweit auf Seite 171.

6 **Willkommen beim Wahl-O-Mat®! Lesen Sie den Text und beantworten Sie die Fragen.**

a Warum sind die Parteien immer schlechter voneinander zu unterscheiden?
b Wo findet man Informationen zu den Parteien?
c Wem kann der Wahl-O-Mat® helfen?
d Wie funktioniert der Wahl-O-Mat®?

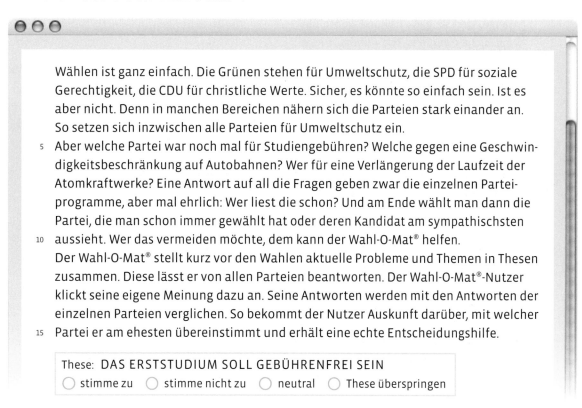

> Wählen ist ganz einfach. Die Grünen stehen für Umweltschutz, die SPD für soziale
> Gerechtigkeit, die CDU für christliche Werte. Sicher, es könnte so einfach sein. Ist es
> aber nicht. Denn in manchen Bereichen nähern sich die Parteien stark einander an.
> So setzen sich inzwischen alle Parteien für Umweltschutz ein.
> 5 Aber welche Partei war noch mal für Studiengebühren? Welche gegen eine Geschwin-
> digkeitsbeschränkung auf Autobahnen? Wer für eine Verlängerung der Laufzeit der
> Atomkraftwerke? Eine Antwort auf all die Fragen geben zwar die einzelnen Partei-
> programme, aber mal ehrlich: Wer liest die schon? Und am Ende wählt man dann die
> Partei, die man schon immer gewählt hat oder deren Kandidat am sympathischsten
> 10 aussieht. Wer das vermeiden möchte, dem kann der Wahl-O-Mat® helfen.
> Der Wahl-O-Mat® stellt kurz vor den Wahlen aktuelle Probleme und Themen in Thesen
> zusammen. Diese lässt er von allen Parteien beantworten. Der Wahl-O-Mat®-Nutzer
> klickt seine eigene Meinung dazu an. Seine Antworten werden mit den Antworten der
> einzelnen Parteien verglichen. So bekommt der Nutzer Auskunft darüber, mit welcher
> 15 Partei er am ehesten übereinstimmt und erhält eine echte Entscheidungshilfe.
>
> These: DAS ERSTSTUDIUM SOLL GEBÜHRENFREI SEIN
> ○ stimme zu   ○ stimme nicht zu   ○ neutral   ○ These überspringen

AB **7** **Gelebte Demokratie**

a Engagiert sich die Person ehrenamtlich? Überfliegen Sie die Umfrage und kreuzen Sie an.

Richard Doebel Tobias Mattsen Jens Krämer Sofie Witthoeft Ingrid Pichler
ja ○ nein ○   ja ○ nein ○   ja ○ nein ○   ja ○ nein ○   ja ○ nein ○

Gelebte Demokratie

Umfrage: Nicht nur wer wählt, sondern auch wer sich sozial engagiert, handelt politisch. Vor allem Frauen, Rentner und gebildete junge Menschen zeigen ein hohes soziales Engagement. Wir wollten wissen: Wer engagiert sich heute wie?

Ich bin Rentner und seit etwa vier Jahren bei
5 den Lesefüchsen aktiv. Das ist ein Verein, der sich die Leseförderung von Kindern zum Ziel gesetzt hat. Wir gehen einmal in der Woche in Schulen oder Kindergärten und lesen den Kindern Bücher vor. Vorlesen ist ja so wichtig,
10 damit aus den Kindern später mal selbst Leser werden. Kinder, die zum ersten Mal zuhören, sind oft skeptisch. Aber wenn ich erst einmal anfange, sind sie ganz still und wollen überhaupt nicht mehr, dass ich aufhöre. Diese
15 Dankbarkeit ist für mich der beste Lohn.

Richard Doebel

Ich mache nichts. Dazu fehlt mir einfach die Zeit. Ich habe eine Familie und einen anstrengenden Job in der Tourismusbranche.
20 Das reicht. Ich muss jetzt auch gleich weiter, meine Kinder vom Kindergarten abholen.

Tobias Mattsen

Ehrenamt? Dafür habe ich keine Zeit. Stehen Sie mal von morgens früh bis abends spät auf der
25 Baustelle. Am Wochenende nehme ich mir die Freiheit und lege die Füße hoch. Obwohl: Etwas mache ich schon. Ich trainiere die Fußballmannschaft meines Sohnes. Dafür bekomme ich kein Geld. Aber die Arbeit mit den kleinen Sportlern
30 macht mir großen Spaß. Das ist doch auch soziales Engagement, oder?

Jens Krämer

Seit ich denken kann, liegt mir die Umwelt am Herzen. Schon als Kind habe ich jeden Müll von der Straße aufgehoben. Heute engagiere
35 ich mich bei verschiedenen Organisationen, die alle mit Umweltschutz zu tun haben. Entweder nehme ich an Aufräumaktionen teil oder ich gehe zusammen mit anderen Demonstranten für Umweltprojekte auf die Straße.
40 Inzwischen bin ich Studentin der Biologie und würde später gern im Umweltschutz arbeiten.

Sofie Witthoeft

Über eine Bekannte habe ich zum ersten Mal von den „Patenschaften" gehört. Es gibt so
45 viele Kinder, die nach Österreich kommen und überhaupt kein Deutsch sprechen. Für jedes Kind wird ein Pate gesucht, der sich mit den Kindern beschäftigt, sodass sie spielerisch Deutsch lernen. Zurzeit betreue ich einen Jun-
50 gen aus Afghanistan. Wir spielen zusammen, kochen oder machen Hausaufgaben. Manchmal machen wir auch einen Ausflug in die Berge. Mittlerweile sind wir richtig gute Freunde geworden. Ich kann nicht sagen, ob ich ihm
55 mehr gebe oder er mir. Meine eigene Zufriedenheit ist jedenfalls stark gestiegen, seitdem ich mich sozial engagiere.

Ingrid Pichler

Spiel & Spaß

b Lesen Sie den Text in a noch einmal. Machen Sie eine Tabelle und ergänzen Sie.

Wer?	Was macht die Person?	Für welche Organisation?	Warum?
Richard Doebel	geht in Schulen und Kindergärten …		
Tobias Mattsen	nichts	/	

c Lesen Sie noch einmal und markieren Sie Nomen mit den angegebenen Endungen. Ergänzen Sie dann.

Adjektiv + -heit/-keit   → **Nomen**
dankbar + -keit   → die Dankbarkeit
frei + _____   → die _____
zufrieden + _____   → die _____

Adjektiv + -ismus   → **Nomen**
tour-istisch + -ismus   → der Tourismus

Nomen + -ler   → **Nomen (Personen)**
Sport + -ler   → der Sportler

GRAMMATIK

Verben auf -ieren + -ant/-ent   → **Nomen (Personen)**
stud-ieren + _____   → der _____ / die _____
demonstr-ieren + _____   → der _____ / die _____

8 **Kreuzworträtsel: Arbeiten Sie auf Seite 172.**
Ihre Partnerin / Ihr Partner arbeitet auf Seite 175.

9 **Engagieren Sie sich oder kennen Sie Personen, die sich engagieren?**
Erzählen Sie.

10 **Unsere Bürgerinitiative**

a Arbeiten Sie in Gruppen und bilden Sie eine Bürgerinitiative. Geben Sie sich einen Namen und überlegen Sie sich Forderungen und Aufgaben. Machen Sie ein Plakat.

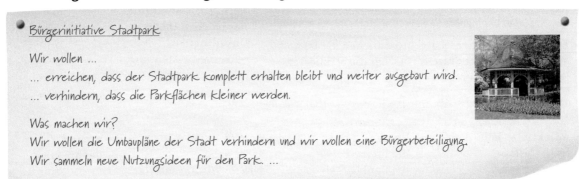

> Bürgerinitiative Stadtpark
>
> Wir wollen …
> … erreichen, dass der Stadtpark komplett erhalten bleibt und weiter ausgebaut wird.
> … verhindern, dass die Parkflächen kleiner werden.
>
> Was machen wir?
> Wir wollen die Umbaupläne der Stadt verhindern und wir wollen eine Bürgerbeteiligung.
> Wir sammeln neue Nutzungsideen für den Park. …

b Stellen Sie Ihre Bürgerinitiative im Kurs vor. Würden sich die anderen auch dort engagieren?

> ■ Wir von der Bürgerinitiative … wollen … Außerdem wollen wir … einführen/verhindern.
> ● Das finde ich großartig. Da würde ich sofort mitmachen.

AB **11** **Diskussionen**

a **Lesen Sie die Aussagen. Sind Sie gleicher oder anderer Meinung? Machen Sie Notizen.**

1 Kinder sollten die ersten drei Jahre von ihren Eltern oder Großeltern betreut werden.
2 Die Höchstgeschwindigkeit auf Autobahnen sollte 120 km/h betragen.
3 Autos sollten in den Innenstädten verboten werden.

KOMMUNIKATION	eine Meinung äußern	und darauf reagieren
	Da bin ich gleicher / (völlig) anderer Meinung.	Nein, auf keinen Fall.
	Das sehe ich auch so / nicht so.	Das ist doch Unsinn!
	Dafür/Dagegen spricht, dass	Unbedingt!
	Meiner Meinung/Ansicht nach ...	Ganz meine Meinung.
	Davon halte ich nicht viel, denn ...	

1 ja, Kinder zu Hause besser betreut ...

b **Arbeiten Sie in Kleingruppen und diskutieren Sie.**

■ Kinder sollten die ersten drei Jahre zu Hause bleiben. Das sehe ich auch so.
 Zu Hause sind Kinder viel besser betreut.
● Ganz meine Meinung.
▲ Das ist doch Unsinn! Da bin ich völlig anderer Meinung. Meiner Ansicht nach ...

GRAMMATIK

zweiteilige Konjunktionen:

entweder ... oder = oder

Die Gründe waren entweder nicht eingehaltene Wahlversprechen oder die Skandale einiger Minister.

weder ... noch = nicht ... und nicht ...

Weder waren den jungen Leuten die Volksvertreter volksnah genug, noch konnten sie die Parteien gut genug voneinander unterscheiden.

zwar ... aber = obwohl

Zwar hält die Mehrheit der Jugendlichen die Demokratie für die beste Staatsform, aber die etablierten Parteien profitieren kaum davon.

KOMMUNIKATION

diskutieren: eine Meinung äußern

Da bin ich gleicher / (völlig) anderer Meinung.
Das sehe ich auch so / nicht so.
Dafür/Dagegen spricht, dass ....
Meiner Meinung/Ansicht nach ...
Davon halte ich nicht viel, denn ...

diskutieren: auf Meinungsäußerungen reagieren

Nein, auf keinen Fall.
Das ist doch Unsinn!
Unbedingt!
Ganz meine Meinung.

Wortbildung

Adjektiv + -heit/-keit	**→ Nomen**
frei + -heit	→ die Freiheit
dankbar + -keit	→ die Dankbarkeit
auch so: Fröhlichkeit, Zufriedenheit	

Adjektiv + -ismus	**→ Nomen**
tour-istisch + -ismus	→ der Tourismus
auch so: Aktivismus, Optimismus, Sozialismus	

Nomen + -ler	**→ Nomen**
Sport + -ler	→ der Sportler
auch so: Wissenschaftler	

Verben auf -ieren + -ant/-ent	**→ Nomen**
stud-ieren + -ent	→ der Student
demonstr-ieren + -ant	→ der Demonstrant
auch so: Abonnent, Konkurrent, Assistent, Praktikant	

Gut Stellshagen – ein Haus im Wandel der Zeit

Es ist das Jahr 1925. Franz Bach, ein Bauingenieur aus Hamburg, baut
für seinen Sohn auf einem Hügel im Landkreis Nordwest-Mecklenburg
ein Haus mit 14 Zimmern. Zwar nennen die Leute im Dorf das Gutshaus
„Schloss", aber auf Gut Stellshagen leben keine Adeligen, sondern ganz
5 normale Leute: Franz Bach junior ist Landwirt.

Es bleibt weder Zeit für die Ernte noch für das Erntefest, als im Herbst
1939 der Krieg ausbricht. Zum Glück aber bleibt das Gut von Bomben
verschont. Lore, die Tochter des Landwirts, heiratet und bekommt
Kinder. 1944 kommen Flüchtlinge aus dem Osten. Es geht ihnen schlecht.
10 Sie haben Hunger und frieren. Doch alle finden Platz auf Gut Stellshagen.
Entweder schlafen sie im Haupthaus, in der Scheune oder in den
Häusern der Arbeiter.

Es ist Frühling, als 1945 endlich Frieden einkehrt. Zuerst kommen die Amerikaner, dann die Russen.
Lore muss ausziehen. Sie zieht mit ihrer Familie nach Hamburg. Ihr Vater bleibt noch eine Weile.
15 Zwischen ihm und dem sowjetischen Kommandanten entsteht fast so etwas wie Freundschaft.
Gemeinsam verteilen sie den Grundbesitz an die Angestellten, so wie es die DDR-Regierung verlangt.
Das Gut selbst wird zur Schule.

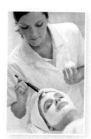

Nach der Wiedervereinigung 1989 steht das Gut fünf Jahre lang leer. Erst
1994 wird es von einer Heilpraktikerin aus Hamburg gekauft. Sie will aus
20 dem Haus ein Bio-Hotel machen. Dies ist nur möglich, weil jemand sie
finanziell unterstützt: ihre Mutter Lore. 50 Jahre nachdem Lore das Haus
durch den Kücheneingang verlassen hat, betritt sie es durch die gleiche Tür
wieder. Die Familie renoviert das Gut und es wird 1996 als Hotel wieder-
eröffnet. Wo einst viele Menschen arbeiteten, erholt man sich heute.

1 **Lesen Sie und ergänzen Sie die Tabelle.**

	Wie wird das Gut Stellshagen genutzt?	Wer wohnt dort?
1925–1945	– landwirtschaftlicher Betrieb und Wohnhaus	– Franz Bach junior mit seiner Familie – später: seine Tochter Lore mit ihrer Familie – ab 1944: auch Flüchtlinge aus dem Osten
1946–1989		
1989–1994		
1994–1996	– keine Nutzung, Renovierung	
seit 1996		

2 **Und Sie?**
Würden Sie gern ein Wochenende im „Hotel Gutshaus Stellshagen" verbringen? Erzählen Sie.

1 Nachbarschaftshilfe Gundelfingen

a Am Anfang des Films stellt Rudolf Wahl sich und die Nachbarschaftshilfe Gundelfingen vor. Was ist richtig? Was meinen Sie? Sehen Sie die Fotos an und kreuzen Sie an.

1 Rudolf Wahl ist ○ selbstständig. ○ Rentner.
2 Die Nachbarschaftshilfe ist ○ sein neues Hobby.
  ○ seine neue Arbeit.
3 Die Nachbarschaftshilfe ○ hilft bei der Wohnungssuche. ○ bringt Menschen zusammen, die Hilfe brauchen und anbieten.

▶ Clip 6 **b** Sehen Sie nun den Anfang des Films (bis 0:50) und vergleichen Sie.

2 Wie funktioniert die Nachbarschaftshilfe?

a Was meinen Sie? Was könnte die Nachbarschaftshilfe anbieten? Sammeln Sie zu zweit.

> — den Nachbarn mein Auto leihen
> — den Nachbarn im Garten helfen
> ...

▶ Clip 6 **b** Sehen Sie den Film nun bis zum Ende weiter (ab 0:51) und vergleichen Sie.

▶ Clip 6 **c** Sehen Sie den Film noch einmal (ab 0:51) und korrigieren Sie.

1 Man kann jeden Vormittag bei der Nachbarschaftshilfe im Büro anrufen.
2 Menschen mit Behinderung können ihre Einkäufe telefonisch bestellen.
3 Es gibt in Gundelfingen viele Fachärzte. *bietet* *an*
4 Die Nachbarschaftshilfe ~~kann leider keine~~ Autofahrten zu Ärzten ~~anbieten~~.
5 Menschen, die Hilfe brauchen, haben häufig viele soziale Kontakte.
6 Die Helfenden sind meist sehr dankbar für die Hilfe.
7 Rudolf Wahl empfiehlt allen Rentnern, sich in Nachbarschaftshilfe-Projekten zu engagieren.

3 Und Sie?

Könnten Sie sich vorstellen, bei einer Nachbarschaftshilfe mitzuarbeiten? Warum / Warum nicht? Erzählen Sie.

1 **Welche Überschrift passt? Lesen Sie und ordnen Sie zu.**

Politik ohne Staatsamt | Kindheit und Jugend in Lübeck | Politischer Aufstieg | Widerstand und Exil

Willy Brandt

Willy Brandt wird am 18. Dezember 1913 als Herbert Ernst Karl Frahm in Lübeck geboren. Seine Mutter Martha Frahm ist Verkäuferin. Seinen Vater lernt er nie kennen. Herbert Frahm wächst bei seinem Großvater Ludwig Frahm in Lübeck auf, der Kraftfahrer ist.
5 Schon als Schüler schreibt er Zeitungsartikel für den Lübecker Volksboten. Bereits mit 16 Jahren wird er Mitglied der SPD.

Herbert Frahm kämpft unter dem Namen Willy Brandt von Anfang an gegen das NS-Regime. Im Frühjahr 1933 flieht er aus Lübeck nach Norwegen. Dort arbeitet er als
10 Journalist und Dolmetscher. Nach der Besetzung Norwegens durch die Deutschen flieht Willy Brandt weiter nach Schweden.

Nach seiner Rückkehr aus dem Exil wechselt Willy Brandt in die deutsche Politik: Er möchte die Demokratie mit aufbauen.
15 Von 1957 bis 1966 ist Willy Brandt Bürgermeister in Westberlin. 1964 wird er Vorsitzender der Bundes-SPD und wechselt 1966 nach Bonn. Dort wird er Außenminister und Vizekanzler in der Regierung von Kurt Georg Kiesinger (CDU).
Am 21. Oktober 1969 wird Willy Brandt zum ersten sozialdemo-
20 kratischen Bundeskanzler gewählt. In der Außenpolitik steht Brandt für eine neue Ostpolitik, für die er 1971 den Friedensnobel-preis bekommt. Am 6. Mai 1974 tritt Willy Brandt wegen einer Spionage-Affäre von einem seiner Mitarbeiter als Bundeskanzler zurück. Er bleibt aber SPD-Vorsitzender.

25
Auch nach seinem Rücktritt engagiert Willy Brandt sich weiter politisch. 1987 wird er zum Ehrenvorsitzenden der SPD ernannt. Als 1989 die Berliner Mauer fällt, geht für Willy Brandt ein Traum in Erfüllung. Er stirbt am 8. Oktober 1992.

2 **Politikerbiografien**

a Wählen Sie eine Politikerin / einen Politiker aus einem deutschsprachigen Land oder Ihrem Heimat-land. Recherchieren Sie ihren/seinen Lebenslauf und machen Sie Notizen.

b Machen Sie eine Präsentation und suchen Sie passende Fotos. Stellen Sie Ihre Politikerin / Ihren Politiker im Kurs vor.

Das ist Willy Brandt. Er ...

> Geburtsdatum und Geburtsort:
> am 18.12.1913 in Lübeck
> Familie:
> Ausbildung:
> beruflicher Werdegang:
> politische Karriere:

Willy Brandt
(1913–1992)

Früher und heute

1 Gestern Abend hab' ich mich mit Opa _____
(terhalunten).
Am Ende war's wie immer: Er war ziemlich ungehalten!
Ach, Kinder, ich kenn' mich nicht mehr aus in dieser _____ (tlWe)!
Es gibt leider so viel, was mir heut' nicht mehr gefällt!
Wieso, weshalb, warum? – Das brauch' ich nicht zu fragen,
so ist das Leben eben heute, werdet ihr mir sagen!

2 Lieber Opa, ich weiß wirklich gar nicht, was du hast!
Da gibt's so einiges, was mir heute auch nicht _____ (sapst)!
Wie ihr müssen wir uns mit der Geschichte arrangieren,
Altes prüfen, Neues wagen und uns _engagieren_ (giergaenen).
Ich bin stolz darauf, dass ich ein Kind von Web 2.0 bin.
Die Welt rückt immer mehr zusammen – ich bin mittendrin!

3 Ich brauch' die Wäsche nicht mehr mit der Hand zu _____
(schenaw),
wenn ich ausgeh', wähl' ich zwischen zehn verschiedenen Taschen.
Ich kann mich selbst entscheiden, ich habe die Qual der _____ (haWl):
ob kurze oder lange Haare oder auch ganz kahl.
Ich brauch' heut' noch nicht zu wissen: Will ich mal Mama sein?
Windkraft-Ingenieurin? Professorin für Latein?
Ich hab' Freunde auf der ganzen Welt und einen tollen Mann.
Die Welt verändern ist der Wunsch, der treibt uns alle an!

Aber ich sag':
Früher war alles viel besser!
Früher, da war alles gut!
Früher war alles viel besser!
Ja früher, da fühlte ich mich gut!

Drum sag' ich:
Früher war gar nicht alles besser!
Früher war gar nicht alles gut!
Früher war gar nicht alles besser!
Ja heute, da fühle ich mich gut!

Früher war gar nicht alles besser!
Früher war gar nicht alles gut!
Früher war einfach alles anders,
und vor dir, da ziehe ich den Hut!

▶ 2 25 **1** **Lesen Sie den Text und schreiben Sie die Wörter richtig.**
Hören Sie dann das Lied und vergleichen Sie.

2 **Was war früher anders?**
Arbeiten Sie zu zweit: Lesen Sie den Text noch einmal und ergänzen Sie die Tabelle.
Ergänzen Sie auch eigene Beispiele.

früher	heute
Wäsche mit der Hand waschen	Waschmaschine
Festnetztelefon	Handy, Videoanrufe
Brief	E-Mail
...	...

3 **Was war früher besser/schlechter? Was gefällt Ihnen heute gut / nicht so gut?**
Sprechen Sie in Gruppen.

Hören: Präsentation auf einer Pressekonferenz

Sprechen: eine Präsentation halten und Nachfragen stellen: *Ich würde gern wissen, ...*

Wortfelder: Landschaft und Tourismus

Grammatik: zweiteilige Konjunktion *je ... desto/umso ...*; Modalpartikeln *denn, doch, eigentlich, ja*

1 Sehen Sie das Foto an.
Wo sind die Personen und was passiert hier? Was meinen Sie?

Fasching/Karneval | Hochzeit | Kostümfest | Volksfest | Mittelalterfest | Theaterfestival | ...

Ich vermute, dass die beiden Frauen auf einem ... sind. ...

▶ 3 01 **2 Hören Sie und lesen Sie dann.**
Beantworten Sie die Fragen und vergleichen Sie mit Ihren Vermutungen in 1.

a Was wird gefeiert?
b Welchen Titel trägt Inga Malin Peters im nächsten Jahr?
c Welche Aufgaben hat sie in dieser Zeit?

Beim Heideblütenfest in Schneverdingen wurde Inga Malin Peters (22) zur neuen Heidekönigin ernannt. Sie wird nun ein Jahr lang die Lüneburger Heide bei Veranstaltungen in ganz Deutschland vertreten.

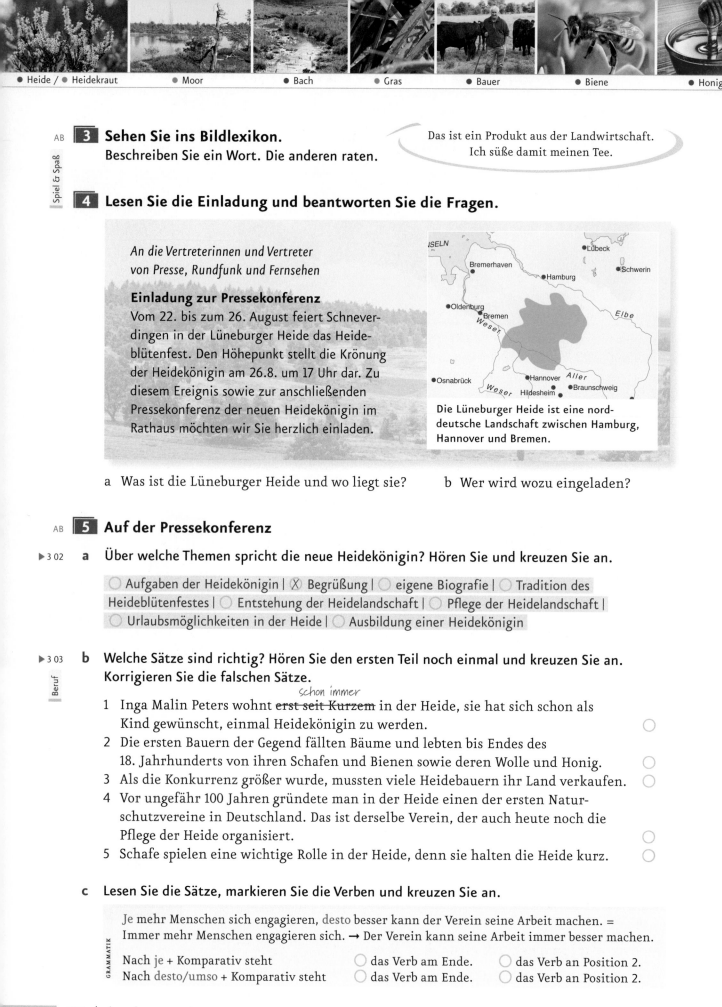

● Heide / ● Heidekraut   ● Moor   ● Bach   ● Gras   ● Bauer   ● Biene   ● Honig

AB **3** **Sehen Sie ins Bildlexikon.**
Beschreiben Sie ein Wort. Die anderen raten.

Das ist ein Produkt aus der Landwirtschaft.
Ich süße damit meinen Tee.

Spiel & Spaß

4 **Lesen Sie die Einladung und beantworten Sie die Fragen.**

An die Vertreterinnen und Vertreter
von Presse, Rundfunk und Fernsehen

Einladung zur Pressekonferenz
Vom 22. bis zum 26. August feiert Schneverdingen in der Lüneburger Heide das Heideblütenfest. Den Höhepunkt stellt die Krönung
der Heidekönigin am 26.8. um 17 Uhr dar. Zu
diesem Ereignis sowie zur anschließenden
Pressekonferenz der neuen Heidekönigin im
Rathaus möchten wir Sie herzlich einladen.

ISELN — Lübeck — Bremerhaven — Hamburg — Schwerin — Oldenburg — Bremen — Weser — Elbe — Osnabrück — Hannover — Aller — Weser — Hildesheim — Braunschweig

Die Lüneburger Heide ist eine nord-
deutsche Landschaft zwischen Hamburg,
Hannover und Bremen.

a Was ist die Lüneburger Heide und wo liegt sie?   b Wer wird wozu eingeladen?

AB **5** **Auf der Pressekonferenz**

▶ 3 02   **a** Über welche Themen spricht die neue Heidekönigin? Hören Sie und kreuzen Sie an.

○ Aufgaben der Heidekönigin | ⊗ Begrüßung | ○ eigene Biografie | ○ Tradition des
Heideblütenfestes | ○ Entstehung der Heidelandschaft | ○ Pflege der Heidelandschaft |
○ Urlaubsmöglichkeiten in der Heide | ○ Ausbildung einer Heidekönigin

▶ 3 03   **b** Welche Sätze sind richtig? Hören Sie den ersten Teil noch einmal und kreuzen Sie an.
Korrigieren Sie die falschen Sätze.

Beruf

1 Inga Malin Peters wohnt ~~erst seit Kurzem~~ *schon immer* in der Heide, sie hat sich schon als
   Kind gewünscht, einmal Heidekönigin zu werden.   ○
2 Die ersten Bauern der Gegend fällten Bäume und lebten bis Endes des
   18. Jahrhunderts von ihren Schafen und Bienen sowie deren Wolle und Honig.   ○
3 Als die Konkurrenz größer wurde, mussten viele Heidebauern ihr Land verkaufen.   ○
4 Vor ungefähr 100 Jahren gründete man in der Heide einen der ersten Natur-
   schutzvereine in Deutschland. Das ist derselbe Verein, der auch heute noch die
   Pflege der Heide organisiert.   ○
5 Schafe spielen eine wichtige Rolle in der Heide, denn sie halten die Heide kurz. ○

c Lesen Sie die Sätze, markieren Sie die Verben und kreuzen Sie an.

GRAMMATIK

Je mehr Menschen sich engagieren, desto besser kann der Verein seine Arbeit machen. =
Immer mehr Menschen engagieren sich. → Der Verein kann seine Arbeit immer besser machen.

Nach je + Komparativ steht   ○ das Verb am Ende.   ○ das Verb an Position 2.
Nach desto/umso + Komparativ steht ○ das Verb am Ende.   ○ das Verb an Position 2.

d Vergleiche: Je älter ich wurde, desto/umso … Arbeiten Sie zu zweit auf Seite 173.

6 **Gibt es denn noch Fragen von Ihrer Seite?**

▶ 3 04 **a** Hören Sie die Präsentation weiter und beantworten Sie die Fragen.

1 Wann ist die Hauptsaison in der Lüneburger Heide? *Von …*
2 Welche Übernachtungsmöglichkeiten gibt es?
3 Für welche Urlaubsaktivitäten eignet sich die flache Heide besonders?

▶ 3 04 **b** Was passt? Ergänzen Sie die passenden Redemittel und verbinden Sie. Nicht alle Sätze passen. Hören Sie dann noch einmal und vergleichen Sie.

> Ich hätte auch noch eine Frage: Wissen Sie eigentlich schon, … |
> Ich würde Sie gern etwas fragen. Gibt es denn auch … |
> Darf ich Sie etwas fragen? | ~~Ich würde gern wissen, …~~

Ich würde gern wissen, wer **denn** all die Arbeiten zur Erhaltung der Heide organisiert?

_____

ein Heimatmuseum, in dem man sich ansehen kann, wie das Leben hier früher aussah?

_____

wo Sie Ihren nächsten Auftritt haben?

Ach, das hätte ich fast vergessen: In Wilsede finden Sie „Dat ole Hus". Dort wird gezeigt, wie Heidebauern um 1850 lebten und arbeiteten.

Auf jeden Fall werde ich bei der Tourismusmesse in Berlin dabei sein.

Ich habe Ihnen ja vorhin vom Naturschutzverein erzählt. Der Verein lebt von unserer Mithilfe, auch finanziell. Auch Sie könnten doch zum Beispiel eine Patenschaft für eine Heidschnucke übernehmen.

c Markieren Sie die Modalpartikeln *denn, doch, eigentlich* und *ja* in b und ergänzen Sie.

GRAMMATIK

Mit *denn* und _____ machen Sie Fragen freundlicher.
Mit _____ machen Sie Bitten und Aufforderungen freundlicher.
Mit _____ nehmen Sie Bezug auf gemeinsames Wissen.

d Arbeiten Sie zu zweit und stellen Sie eine Frage über die Heide. Tauschen Sie dann die Frage mit einem anderen Paar. Sie denken sich eine Antwort aus. Verwenden Sie *denn* oder *eigentlich* in der Frage und *ja* oder *doch* in der Antwort.

> Wir würden gern wissen, ob man in der Heide eigentlich auch wild zelten darf.
>
> Nein, aber es gibt ja 20 wunderschöne Campingplätze.

7 **Präsentation einer Urlaubsregion: Arbeiten Sie auf Seite 174.**

AB **8** **Königinnen und Könige in unserem Kurs**

a Arbeiten Sie in Gruppen und ernennen Sie jedes Gruppenmitglied zu einer Königin / einem König. Einigen Sie sich auch, welche Aufgaben die Königin / der König hat.

Grammatik | Lachen | Backen | Sprechen | Schreiben | ...

■ Ich würde dich, Beatriz, zur Backkönigin ernennen. Du hattest gestern wieder so eine feine Aprikosentorte dabei. Dasselbe Rezept habe ich auch im Internet gefunden.

● Was wären denn meine Aufgaben?

■ Du müsstest uns einmal im Monat einen Kuchen backen.

▲ Ja, und außerdem hätten wir gern jede Woche ein neues Rezept.

● Okay, das mache ich gern.

> Backkönigin Beatriz
> Aufgaben: einmal im Monat einen Kuchen
> für den Kurs backen, ...

> ● derselbe
> ● dasselbe
> ● dieselbe
>
> INFO

b Erzählen Sie im Kurs von Ihren Königinnen/Königen und deren Aufgaben.

> Beatriz ist unsere Backkönigin. Als Backkönigin hat sie folgende Aufgaben: ...

GRAMMATIK

zweiteilige Konjunktion *je ... desto/umso ...*	
Nebensatz	**Hauptsatz**
Je mehr Menschen sich engagieren,	desto/umso besser kann der Verein seine Arbeit machen.

Modalpartikeln *denn, doch, eigentlich, ja*	
freundliche Fragen	Gibt es denn/eigentlich auch ein Heimatmuseum?
freundliche Bitten und Aufforderungen	Auch Sie könnten doch zum Beispiel eine Patenschaft übernehmen.
Bezug auf gemeinsames Wissen	Ich habe Ihnen ja vorhin vom Naturschutzverein erzählt.

KOMMUNIKATION

Fragen zu einer Präsentation stellen
Ich würde gern wissen, ...
Ich würde Sie gern etwas fragen.
Gibt es denn auch ...
Ich hätte auch noch eine Frage: Wissen Sie eigentlich schon, ...
Darf ich Sie etwas fragen?

Die anderen werden es dir danken! | 20

Sprechen: Regeln diskutieren: *Das finde ich unheimlich wichtig.*

Lesen: Sachtext: Hausordnung

Schreiben: Gästebuch-eintrag

Wortfeld: in den Bergen

Grammatik: Konjunktionen *indem, sodass*

1 **Sehen Sie das Foto an und beantworten Sie die Fragen.**

a Was meinen Sie? Wer und wo sind die Personen? Worüber sprechen sie?

▶ 3 05   **b** Hören Sie und kreuzen Sie an.

Beruf

1 Der Hüttenwirt begrüßt ○ einen Gast. ○ einen Freund.
2 In den Bergen ○ duzen ○ siezen sich alle.
3 Der Gast hat nicht reserviert und bekommt ○ deshalb keinen Schlafplatz mehr. ○ trotzdem noch einen Schlafplatz.
4 Im Schlafraum sollen die Gäste ihre Schuhe ○ ausziehen. ○ anziehen.

2 **Haben Sie schon Erfahrungen mit dem Bergwandern gemacht?**
Würden Sie gern mal eine Bergwanderung machen? Erzählen Sie.

● Hütte   ● Proviant   ● Gastraum   ● Terrasse   ● Aussicht   ● Wolldecke   ● Schlafsack

AB **3** **Unsere Hüttenregeln**

a Welchen Zweck haben die Regeln? Überfliegen Sie den Text und ordnen Sie zu.
Hilfe finden Sie im Bildlexikon.

Sie dienen nur der eigenen Sicherheit: 1,_____

Sie regeln das Verhalten gegenüber anderen: _____

Unsere Hüttenregeln gelten auch für dich!

1. Rechtzeitig reservieren: In einer Stadt gibt
es viele Hotels, sodass du dich leicht auf die
Suche nach einer anderen Unterkunft machen
kannst. Anders ist es in den Bergen, wo die
nächste Hütte weit entfernt ist. Daher muss
man unbedingt vorher anrufen und buchen.

5

2. Duzen: Hast du die ersten tausend Höhenmeter geschafft, gibt es eine Belohnung:
Ab jetzt darfst du die anderen Wanderer duzen, denn hier oben fühlt man sich als
Gemeinschaft. Man hat das gleiche Ziel und hilft einander, sodass es im Notfall zu
kompliziert wäre, „Sie" zu sagen.

10

3. Eigenes Essen: Auf der Hütte solltest du deinen Proviant besser im Rucksack
lassen. Denn hier ist es untersagt, sein eigenes Essen auszupacken. Zeig, dass du ein
guter Gast bist, indem du dir einen Imbiss von der Speisekarte bestellst.

4. Wanderschuhe: Auf einer Bergtour tritt man in Pfützen und läuft durch den Wald.
Es ist also kaum zu vermeiden, dass Dreck und Steine im Profil deiner Stiefel hängen
bleiben. Darum solltest du deine Schuhe nicht in der Hütte tragen.

15

5. Hüttenschlafsack: Hütten werden meist nur von einem Wirt oder einem Wirts-
ehepaar bewirtschaftet. Du hilfst ihnen, indem du deinen eigenen Schlafsack mit-
bringst. Ein leichter Hüttenschlafsack reicht aus. Meistens findet man nur einfache
Matratzenlager mit Wolldecken in den Hütten.

20

6. Nachtruhe zwischen 22 und 6 Uhr: Nimm Rücksicht auf das Wohl der anderen
Gäste. Wenn du schon früher aufbrechen willst, geh leise aus dem Schlafraum, sodass
du niemanden aufweckst. Für deine eigene Nachtruhe sorgst du, indem du Ohrstöpsel
mitnimmst. Liegt ein Schnarcher neben dir, machst du sonst kein Auge zu.

25

7. Taschenlampe/Stirnlampe mitbringen: Du hast nach einer anstrengenden, steilen
Wanderung ausreichend getrunken? Gut so. Wenn du eine kleine Lampe benutzt, sorgst
du nachts bei Toilettengängen dafür, dass du nicht das Deckenlicht anmachen musst.
Die anderen werden es dir danken!

8. Bezahlen: Auf einer Berghütte empfiehlt es sich, ausreichend Bargeld dabei zu
haben. Überleg vorher, wie viel du ungefähr brauchen wirst. Für eine Übernachtung
musst du mit etwa 20 Euro rechnen.

30

9. Hüttenbucheintrag: Jeder Gast sollte sich grundsätzlich in das Hüttenbuch eintragen. Indem du Route und Ziel deiner Bergtour notierst, sorgst du dafür, dass du
auch gefunden wirst, falls du verunglückst oder in Lebensgefahr gerätst.

35

10. Müll mitnehmen: Die schönsten Hütten sind nicht mit der Gondel erreichbar. Auch
der Wirt muss selbst aufsteigen und mühsam alles an- oder abtransportieren. Hilf ihm,
indem du sparsam mit den Ressourcen umgehst und deine Abfälle selbst wieder mit ins
Tal nimmst.

| Matratzenlager | ● Ohrstöpsel | ● Stirnlampe | ● Deckenlicht | ● Hüttenbuch | ● Gondel | ● Tal |

b Was machen wir falsch? Lesen Sie die Hüttenregeln noch einmal und wählen Sie drei Regeln. Spielen Sie eine Szene und machen Sie möglichst viele Fehler. Die anderen beschreiben, was Sie falsch machen.

■ Ihr kommt bei der Hütte an und setzt euch auf die Terrasse.

● Ja, und dort packt ihr euren Proviant aus. Aber das ist nicht erlaubt. …

c Ergänzen Sie *indem* und *sodass* in der Tabelle. Hilfe finden Sie im Text in **a**.

Mittel	Resultat
Geh leise aus dem Schlafraum,	_____ du niemanden aufweckst.
_____ du leise aus dem Schlafraum gehst,	weckst du niemanden auf.
_____ du Route und Ziel deiner Bergtour notierst,	kannst du gefunden werden, falls du verunglückst.
Notiere Route und Ziel deiner Bergtour,	_____ du gefunden werden kannst, falls du verunglückst.

AB **4** **Mittel und Resultate angeben: Arbeiten Sie zu viert auf Seite 176.**

AB **5** **Wie finden Sie die Hüttenregeln?**

a Machen Sie Notizen und schreiben Sie passende Redemittel auf Kärtchen.

Diese Vorschriften finde ich sinnvoll: _____
Diese Vorschriften finde ich nicht so gut: _Nachtruhe,_ _____
Diese Vorschriften fehlen mir: _Handyverbot,_ _____

> **Regeln diskutieren**
> Davon halte ich (nicht) sehr viel. | Das lehne ich ab. | Das wäre für mich undenkbar. | Das finde ich fair/unfair. | Das finde ich unheimlich wichtig. | Wesentlich wichtiger finde ich … | Es kommt darauf an, wie man das sieht. | Ich lege größten Wert auf … / darauf, dass … | Die Hauptsache ist, dass … | Man kann schon verlangen, dass …

b Diskutieren Sie in Gruppen.

■ Von der Regel zur Nachtruhe halte ich nicht viel. Ich gehe selten vor Mitternacht ins Bett.

● Ich finde das schon wichtig. Sonst ist immer irgendjemand auf und laut.

▲ Ja, das denke ich auch. Wesentlich wichtiger finde ich aber ein Handyverbot. Ich möchte nicht dauernd durch klingelnde Handys gestört werden. …

■ Wirklich? Das wäre für mich undenkbar.

6 Gästebuch

a Lesen Sie und ergänzen Sie. Nicht alle Wörter passen.

> begeistert | gemütlich | geschmeckt | Mal | Portion | treten | Übernachtung | wiederkommen

Wir waren nun schon zum zweiten _____ hier. Es hat uns wieder ausgezeichnet
gefallen, sodass wir sicher bald _____. Das Essen war lecker, vor allem der
Kaiserschmarrn hat den Kindern sehr gut _____. Die _____
war sehr groß, sodass fast unsere ganze Familie davon satt geworden ist! Die Terrasse ist
sehr _____ und man hat einen wunderbaren Bergblick. Auch der Besuch im
Schachenschloss hat uns _____.

Familie Burger, Rostock, 27. Juli

b Schreiben Sie einen Gästebucheintrag. Wählen Sie einen Ort oder einen Anlass.
Machen Sie Notizen und bringen Sie die Notizen in eine passende Reihenfolge.

> **öffentliche Orte:** Hotel | Seminarhaus | Berghütte | Restaurant | Museum | …
> **private Anlässe:** Hochzeit | Besuch bei Freunden | Geburtstag | Volljährigkeit | …

Ort/Anlass: Museum: Hundertwasser-Ausstellung
Was wünschen Sie sich / dem Gastgeber / der Institution? / …
viele interessierte Besucher
Möchten Sie sich bedanken? Wenn ja, wofür? tolle Ausstellung
Was hat Ihnen besonders gut gefallen? der Film über Hundertwasser
Möchten Sie dem Gastgeber / der Institution einen Rat geben?
Wenn ja, welchen? der Film sollte umsonst sein

GRAMMATIK

Konjunktionen *indem* und *sodass*

Mittel	Resultat
Indem du Route und Ziel deiner Bergtour notierst,	kannst du gefunden werden, falls du verunglückst.
Notiere Route und Ziel deiner Bergtour,	sodass du gefunden werden kannst, falls du verunglückst.

KOMMUNIKATION

Regeln diskutieren

Davon halte ich (nicht) sehr viel.
Das lehne ich ab.
Das wäre für mich undenkbar.
Das finde ich fair/unfair.
Das finde ich unheimlich wichtig.
Wesentlich wichtiger finde ich …
Es kommt darauf an, wie man das sieht.
Ich lege größten Wert auf … / darauf, dass …
Die Hauptsache ist, dass …
Man kann schon verlangen, dass …

1 Und jetzt lächeln!

a Sehen Sie das Foto an.
Was passiert hier und wer sind
die drei Frauen? Was meinen Sie?

> Ich denke, die drei Frauen
> arbeiten in einem Jugendzentrum.
> Vielleicht sind sie Sozial-
> pädagoginnen.

▶ 3 06 b Hören Sie und kreuzen Sie an.

		richtig	falsch
1	Die Frauen machen Musik und gehen auf eine Tournee.	○	○
2	Ein Fotograf schießt ein Foto für einen Artikel.	○	○

2 Was für Musik machen die Frauen? Was meinen Sie?

Hören: Radiointerview

Sprechen: etwas
anpreisen: ... ist immer
einen Besuch wert.

Schreiben: Werbetext

Lesen: Blog

Wortfelder: Konzerte
und Veranstaltungen

Grammatik: lokale und
temporale Präpositionen
innerhalb, außerhalb, ...
Passiv Präsens mit
Modalverben: Es muss
fleißig geübt werden.

3 **Arbeiten Sie zu zweit.**
Einigen Sie sich auf einen Begriff
aus dem Bildlexikon und notieren
Sie jeweils Ihre Assoziationen.
Erzählen Sie dann.

*Lampenfieber: aufgeregt,
Theater, Schulaufführung*

AB   **4** **Die „Wonnebeats" auf Tournee**

Bei „Lampenfieber" muss ich
an meine erste Schultheater-
aufführung denken …

a In welchen Städten spielt die Band auf ihrer Tournee?
Überfliegen Sie den Blog und notieren Sie.

○ ○ ○

12. Juni Endlich! Es geht los. Innerhalb weniger Tage reisen wir kreuz und quer durch
Deutschland und die Schweiz und geben mehrere „Wonnebeats"-Konzerte. Die General-
probe gestern Abend war ein totaler Misserfolg – hoffentlich ein gutes Zeichen ☺! Jetzt
geht es über Bonn, Köln und Wuppertal mitten ins Herz des Ruhrgebiets – nach Essen.
5   Übermorgen um diese Zeit ist schon Soundcheck! Wir freuen uns darauf!

13. Juni Man möchte meinen, Essen ist groß genug, um es zu finden.
Doch wir verfahren uns mehrmals im Gewirr der Autobahnen und verpassen die richtige Ausfahrt. Trotz Navi fahren wir dreimal um das
Zentrum herum. Völlig erschöpft kommen wir schließlich im Hotel an,
10   wo ein freundlicher Konzertveranstalter und drei riesengroße Schnitzel
auf uns warten. Kein Problem, dass Barbara Vegetarierin ist. Ihr Schnitzel wird gegen einen vegetarischen Burger ausgetauscht.

14. Juni Bis zum Soundcheck ist noch etwas Zeit. Solange sehen wir uns ein paar Sehenswürdigkeiten in der Umgebung an. Andrea will unbedingt ins „Museum Folkwang",
15   moderne Kunst ansehen. Barbara hat vor, uns in die alte Synagoge zu schleppen. Das
bringt uns auf andere Gedanken. So kann kein Lampenfieber aufkommen. Das Konzert
findet übrigens auf dem Gelände einer ehemaligen Zeche statt. Drückt uns die Daumen!

15. Juni Nach einem wundervollen Konzert mit großartigem Publikum
geht es am Rhein entlang nach Basel. Unser allererstes Konzert in der
20   Schweiz! Bisher sind wir nur innerhalb Deutschlands aufgetreten. Der
Veranstaltungsort, ein altes Weingut, liegt allerdings etwas außerhalb
der Stadt. Entgegen unseren sonstigen Gewohnheiten ist das Konzert
am Nachmittag noch nicht ganz ausverkauft. Wer also heute Abend tolle
Songs hören will: Wir freuen uns, wenn Ihr noch kommt!

25   **16. Juni** Erst mal ein dickes DANKESCHÖN an alle, die am gestrigen Abend noch für ein
volles Haus und großartige Stimmung gesorgt haben! Jetzt sind wir wieder unterwegs
nach Deutschland. Während ich (Julia) an unserem Blog schreibe, sitzt Andrea am Steuer.
Barbara sorgt für uns, indem sie selbstgebackenes Gebäck herumreicht. Man merkt eben
doch, dass wir eine Mädchenband sind ☺. Heute Abend spielen wir in Augsburg. Dort
30   wird wieder alles bis zum letzten Platz besetzt sein.

● Technik   ● Tournee-Bus   ● Konzertsaal   ● Plakat   ● Notausgang   ● Lautsprecher   ● Garderobe

Wow, was für ein Empfang! Am Straßenrand hängen Plakate der „Wonnebeats" und am Nachmittag gibt es eine private Stadtführung durch Augsburg. Der Konzertveranstalter führt uns an den Stadt-bächen entlang in die „Fuggerei". Das Stadtviertel mit den kleinen,

35   aber hübschen Häuschen ist die älteste Sozialsiedlung der Welt. Der reiche Kaufmann Jakob Fugger gründete sie 1516 mit seinen Brüdern für schuldlos in Not geratene Augsburger. Als kleine Band lernt man all die wunderbaren Ecken außerhalb der Großstadtgebiete kennen. In diesen Genuss kommen Weltstars sicher nicht ☺!

40   **17. Juni** Nach dem Konzert mischen wir uns unter das Publikum. Innerhalb weniger Minuten stehen viele Fans um uns herum und wollen Autogramme. Krönender Abschluss: ein Radiointerview. Das könnt Ihr morgen hier nachhören!

b   **Lesen Sie den Blog noch einmal und beantworten Sie die Fragen.**

1 Wie ist die Generalprobe gelaufen? | 2 Was passiert auf der Fahrt nach Essen?
3 Was machen die Musikerinnen gegen ihr Lampenfieber vor dem Konzert in Essen?
4 Was ist ungewöhnlich bei dem Konzert in Basel? | 5 Was hat der Konzertveranstalter in Augsburg organisiert? | 6 Was ist die „Fuggerei"?

AB   **5**   **An den Bächen entlang**

a   **Markieren Sie die Präpositionen im Text in 4a und ordnen Sie zu.**

> innerhalb | außerhalb | um ... herum | an/am ... entlang | innerhalb | außerhalb

1   _____ das Zentrum _____

2   _____ Fluss _____

3   _____ des Landes; _____ des Landes

4   _____ weniger Tage

5   _____ der Öffnungszeiten

> **GRAMMATIK**
>
> **lokal**
> um ... herum + Akkusativ
> an/am ... entlang + Dativ
>
> **lokal + temporal**
> innerhalb, außerhalb + Genitiv

▶ 3 07   **b**   **Außerhalb des Dorfes liegt ... Arbeiten Sie auf Seite 177.**

6   **Welchen Ort aus dem Blog würden Sie gern besuchen? Warum?**

> Ich würde mir gern die „Fuggerei" ansehen. In einem Stadtviertel, das im 16. Jahrhundert gegründet wurde, kommt man sich bestimmt vor wie in einer anderen Welt.

AB **7** **Radiointerview mit den „Wonnebeats"**

▶3 08   **a**   Über welche Themen wird in dem Interview gesprochen? Hören Sie und erzählen Sie.

○ Theaterproduktionen | ○ Verteilung von Aufgaben vor der Tournee | ○ Verantwortlichkeiten während der Tournee | ○ Schwierigkeiten während der Tournee | ○ Erfahrungen bei der Tournee | ○ Erwartungen an die Tournee | ○ Erfahrungen beim Workshop

Zunächst erzählen die
Musikerinnen von ihrer/ihren ...

▶3 09   **b**   Welche Aufgaben werden erwähnt? Hören Sie den ersten Teil des Interviews noch einmal und kreuzen Sie an.

noch einmal?

vorher fleißig üben ○	Noten einpacken ○
Auftrittsmöglichkeiten suchen ○	Fahrer buchen ○
Verträge machen ○	Tour-Auto saugen und volltanken ○
Plakate und Informationsmaterial verschicken ○	Verpflegung für die Fahrt vorbereiten ○
Hotelzimmer buchen ○	Zustand der Instrumente prüfen ○
Papiere ordnen ○	Technik bereitstellen ○
Veranstaltungsorte suchen ○	Plakate aufhängen ○
sich um die Kostüme kümmern ○	

Spiel & Spaß

c   Was muss vor der Tournee gemacht werden? Lesen Sie die Tabelle und sprechen Sie dann über die Aufgaben in **b**.

GRAMMATIK

Passiv Präsens mit Modalverben		
Es	muss vorher fleißig	geübt werden.
Auftrittsmöglichkeiten	müssen	gesucht werden.

auch so mit: können, dürfen, wollen, sollen

■ Auftrittsmöglichkeiten müssen gesucht werden.
● Ja, das habe ich auch gehört. Außerdem ...

AB **8** **Rätsel erstellen: Es darf nicht geraucht werden.**
Arbeiten Sie zu zweit auf Seite 178.

▶ 3 10 **9** **Was passt? Hören Sie das Interview weiter und ordnen Sie zu.**

Ⓐ

Ⓑ

Ⓒ

Ruhrgebiet

Weingut bei Basel

Augsburg

Foto

1 Dort war der Konzertveranstalter am sympathischsten. _C_
2 Das Publikum war herzlich. _____
3 Die „Fuggerei" war eines der tollsten Erlebnisse. _____
4 Die Schnitzel und der Veggie-Burger haben uns auch geschmeckt. _____
5 Dort war die Stimmung am heitersten. _____
6 Dort gibt es ein großes kulturelles Angebot. _____
7 Wir hatten das Vergnügen einer persönlichen Stadtführung. _____
8 Schuld an der Fröhlichkeit waren der Wein und das gute Wetter. _____

AB **10** **Die interessantesten Ecken gab es in …**

a **Machen Sie Notizen zu den Fragen und schreiben Sie passende Redemittel auf Kärtchen.**

1 Welche Orte/Städte haben Sie zuletzt besucht? _Barcelona_
2 Welcher Ort / Welche Stadt hat Ihnen am besten gefallen?
3 Warum? Was war besonders?

> Also, am meisten überrascht/begeistert hat mich persönlich …
> Dort gab es ein großes kulturelles Angebot.
> Wir haben uns keine Sekunde gelangweilt.
> Dort herrschte auch die fröhlichste Stimmung / netteste Atmosphäre / …
> Die Menschen / … haben uns … behandelt. Die Gastfreundschaft war …
> Augsburg/… hatte den nettesten …
> Dort gibt es fantastische Gaststätten/Gebäude aus dem vorigen Jahrhundert / …
> Im Vergleich zu … hat … einfach die besten …
> Die interessantesten Ecken gab es in …
> Eines der tollsten Erlebnisse war …
> Wir hatten das Vergnügen einer/eines …
> Schuld daran war …

KOMMUNIKATION

b **Verwenden Sie Ihre Notizen und Ihre Kärtchen und erzählen Sie in Kleingruppen.**

1 Ich fand Barcelona am schönsten …

Von den Städten, die ich zuletzt besucht habe, fand ich … am schönsten. Dort …

c **Welchen der vorgestellten Orte würden Sie gern besuchen? Warum? Erzählen Sie.**

AB **11** **Bregenz ist immer einen Besuch wert.**

a Wählen Sie einen Ort, für den Sie werben wollen.
Was gibt es dort? Was kann man dort unternehmen?
Machen Sie Notizen.

> Bregenz: Vorarlberg, am Bodensee
> Das gibt es dort: Bregenzer Festspiele ...

Diktat

b Schreiben Sie einen Werbetext für eine Tourismusbroschüre.

> **Bregenz ist immer einen Besuch wert**
>
> Bregenz ist die Landeshauptstadt im österreichischen Bundesland Vorarlberg.
> Auf der einen Seite liegt der Bodensee, auf der anderen die Berge: In Bregenz
> können Sie sowohl baden und Bootstouren machen als auch wandern und Rad
> fahren. Sie lieben klassische Musik? Dann dürfen Sie die Bregenzer Festspiele
> im Juli und August auf keinen Fall versäumen. Das international bekannte Kultur-
> festival hat die größte Seebühne der Welt. Wenn Sie neugierig geworden sind,
> können Sie sich auf der Homepage von Bregenz informieren.

... ist immer einen Besuch wert. | ... ist einer der schönsten Orte in ... | ... hat die nettesten ... | Hier finden Sie nicht nur ..., sondern auch ... / sowohl ... als auch ... | Besonders empfehlenswert ist ... | ... dürfen Sie auf keinen Fall verpassen/versäumen. | Wenn Sie neugierig geworden sind, dann ...

c Machen Sie eine Wandzeitung und stellen Sie Ihren Ort vor.

Audiotraining *Karaoke*

GRAMMATIK

lokale Präpositionen

um ... herum + Akkusativ	Wir fahren dreimal um das Zentrum herum.
an/am ... entlang + Dativ	Es geht am Rhein entlang nach Basel.
innerhalb, außerhalb + Genitiv	Der Veranstaltungsort liegt außerhalb der Stadt.

temporale Präpositionen

innerhalb, außerhalb + Genitiv	Innerhalb weniger Tage reisen wir durch Deutschland und die Schweiz.

Passiv Präsens mit Modalverben

		Modalverb	Partizip Perfekt + werden
Singular	Es	muss vorher fleißig	geübt werden.
Plural	Auftrittsmög-lichkeiten	müssen	gesucht werden.
auch so mit: können, dürfen, wollen, sollen			

KOMMUNIKATION

etwas anpreisen

Also, am meisten überrascht/begeistert hat mich persönlich ... | Dort gab es ein großes kulturelles Angebot. | Wir haben uns keine Sekunde gelangweilt. | Dort herrschte auch die fröhlichste Stimmung / netteste Atmo-sphäre / ... | Die Menschen / ... haben uns ... behandelt. Die Gastfreundschaft war ... | Augsburg/... hatte den nettesten ... | Dort gibt es fantastische Gaststätten / Gebäude aus dem vorigen Jahrhundert / ... | Im Ver-gleich zu ... hat ... einfach die besten ... | Die interessantesten Ecken gab es in ... | Eines der tollsten Erlebnisse war ... | Wir hatten das Vergnügen einer/eines ... | Schuld daran war ... | ... ist immer einen Besuch wert. | ... ist einer der schönsten Orte in ... | ... hat die nettesten ... | Hier finden Sie nicht nur ..., sondern auch ... / sowohl ... als auch ... | Besonders empfeh-lenswert ist ... | ... dürfen Sie auf keinen Fall verpassen/versäumen. | Wenn Sie neugierig geworden sind, dann ...

Bei jedem Wetter unterwegs –
diese Postzusteller arbeiten unter extremen Bedingungen

FIEDE NISSEN ...

ist seit 1977 selbstständiger Postschiffer. Er holt und bringt die Post zu vier Halligen, kleinen Inseln vor der deutschen Nordseeküste. Sie gehören zu Schleswig-Holstein.

ANDREAS OBERAUER ...

ist seit 1995 Postbote auf der Zugspitze. Die Zugspitze ist mit 2962 Metern der höchste Berg in Deutschland und befindet sich in Bayern.

ANDREA BUNAR ...

bringt seit April 2012 der Gemeinde Lübbenau-Lehde im Spreewald die Post per Kahn. Der Spreewald liegt in Brandenburg und hat viele Flüsse und Kanäle.

1 _____

Je nach Wetter belade ich am Festland mein Schiff „Störtebekker" oder die Motorlore mit der Post für ca. 160 Menschen auf den vier Halligen Langeness, Oland, Gröde und Habel. Die Motorlore ist ein Wagen, mit dem ich auf Eisenbahnschienen auf einem Damm zehn Kilometer quer durch die Nordsee fahre.

Ich fahre fast täglich mit der Seilbahn auf die Zugspitze: insgesamt 4,5 Kilometer hin und zurück. Dabei muss ich 1950 Meter Höhenunterschied überwinden. Oben leere ich den am höchsten gelegenen Briefkasten Deutschlands und öffne für eine Stunde das kleine Postamt.

Von April bis Oktober stelle ich die Post für 65 Haushalte zu. Die Häuser sind vom Wasser aus am schnellsten zu erreichen. Ich nutze hierfür einen neun Meter langen Kahn, den ich mit einer Art Holzruder, Rudel genannt, in Bewegung setze. Täglich lege ich acht Kilometer in zwei bis drei Stunden zurück.

2 _____

Ich bin gern auf dem Wasser und in der Natur. Eine große Herausforderung sind natürlich die schnell wechselnden Wetterlagen: Sturm, Nebel, Eis oder Niedrigwasser. Im Extremfall muss ich dann auch mal eine Fahrt ausfallen lassen.

Für meinen Job muss ich sehr fit sein, denn der Körper wird bei dem Höhenunterschied extrem beansprucht. Vor allem bei schönem Wetter macht mir die Arbeit aber viel Spaß: Dieser Blick über die Alpen ist einmalig! Dann vergesse ich auch die schwierigen Tage mit Schneestürmen oder Gewittern.

Ich habe einen Traumberuf. Die Arbeit ist großartig. Jeder Tag ist anders. Manchmal ist meine Tour auch anstrengend, bei starkem Wind zum Beispiel. Wahrscheinlich bin ich die bekannteste Postfrau in Deutschland. Denn jeden Tag fotografieren mich sehr viele Touristen.

1 **Bei jedem Wetter unterwegs**

a   Wo arbeiten die Postzusteller? Lesen Sie jeweils die ersten Abschnitte, recherchieren Sie und ergänzen Sie die Orte auf der Karte im Umschlag.

b   Welche Fragen passen? Lesen Sie weiter und ergänzen Sie passende Fragen. Die Auflösung finden Sie auf Seite 179.

2 **Und Sie? Welche der Arbeitsumgebungen gefällt Ihnen am besten? Erzählen Sie.**

▶ Clip 7 **1 Die „Stadtdetektive"**

a Was meinen Sie? Wer sind die Personen und was passiert hier?
Sehen Sie den Anfang des Films ohne Ton (bis 1:20) und sprechen Sie.

> Ich denke, dass die Frau einen Ausflug mit den Kindern macht.

b Sehen Sie den Anfang des Films nun noch einmal mit Ton (bis 1:20).
Vergleichen Sie und kreuzen Sie an.

  1 Die Kinder machen ⃝ einen Schulausflug. ⃝ eine Stadtführung.
  2 Die „Ruppige Ritter"-Tour in München führt durch ⃝ die Innenstadt.
  ⃝ den Englischen Garten.

2 Porträt: Astrid Herrnleben

a Astrid Herrnleben erzählt von ihrer Idee, den „Stadtdetektiven".
Was meinen Sie? Zu welchen Themen sagt sie etwas?

  ⃝ Studium | ⃝ Weiterbildung | ⃝ Wohnort | ⃝ Familie |
  ⃝ Arbeitsbedingungen | ⃝ Zukunftspläne | ⃝ früherer Beruf |
  ⃝ Interessen | ⃝ München

▶ Clip 7 **b** Sehen Sie den Film bis zum Ende (ab 1:21) und vergleichen Sie.

▶ Clip 7 **c** Sehen Sie den Film noch einmal (ab 1:21) und beantworten Sie die Fragen.

  1 Wann hatte Astrid Herrnleben die Idee zu den „Stadtdetektiven"? *Vor sechs Jahren.*
  2 Was hat sie vorher beruflich gemacht?
  3 Warum wollte sie gern etwas Neues machen?
  4 Wofür hat sie sich schon immer interessiert?
  5 Was hat sie studiert?
  6 Was für eine Weiterbildung hat sie gemacht?
  7 Seit wann lebt Astrid Herrnleben in München?
  8 Was gefällt ihr an München?

3 Stadtführungen

a Welche Stadtführung der „Stadtdetektive" interessiert Sie?
Recherchieren Sie (www.stadtdetektive.com) und erzählen
Sie im Kurs.

b Welche Erfahrungen haben Sie mit Stadtführungen?
Erzählen Sie.

> Ich habe schon einmal eine Nacht-Stadtführung gemacht. …

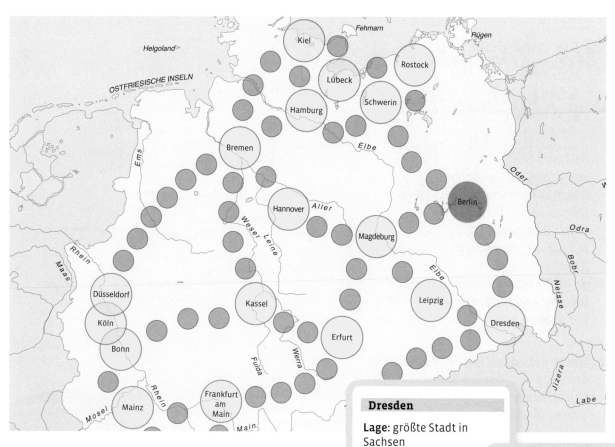

Dresden

Lage: größte Stadt in Sachsen

Einwohner: ca. 500.000

Sehenswürdigkeiten: historische Altstadt mit Frauenkirche und Semperoper

Sie stärken sich mit Dresdner Stollen und rücken 2 Felder vor.

Mainz

Lage: größte Stadt in Rheinland-Pfalz

Einwohner: ca. 200.000

Sehenswürdigkeiten: Mainzer Dom, Kirche St. Stephan mit Chagall-Fenstern

Wegen der Mainzer Fastnacht bleiben Sie noch einen Tag in Mainz und setzen eine Runde aus.

1 Deutschlandspiel

Lesen Sie die Spielanleitung und ordnen Sie zu.

Spielidee | Spielverlauf | Spielvorbereitung

In diesem Spiel machen Sie eine Reise durch Deutschland. Sechs Ortskarten bestimmen für jede Spielerin / jeden Spieler eine andere Reiseroute. Gewonnen hat die Person, die zuerst alle Orte besucht hat und wieder am Zielort angekommen ist. Im Spiel lernen Sie außerdem deutsche Städte und bekannte Sehenswürdigkeiten in Deutschland kennen.

Jede Spielerin / Jeder Spieler erhält eine Spielfigur. Start- und Zielort ist Berlin. Mischen Sie die Ortskarten. Jede/Jeder erhält sechs Ortskarten.

Die Spielerinnen und Spieler würfeln der Reihe nach und ziehen mit ihrer Spielfigur. Erreicht jemand einen der gezogenen Orte, liest sie/er die Karte vor und führt die Anweisung aus.

2 Deutschlandspiel erstellen und spielen

a Partnerarbeit: Wählen Sie sechs deutsche Städte und recherchieren Sie. Schreiben Sie eigene Karten wie in 1.

b Spielen Sie in Gruppen nach der Spielanleitung in 1.

Mit „Wonnebeats" auf Rhythmustour

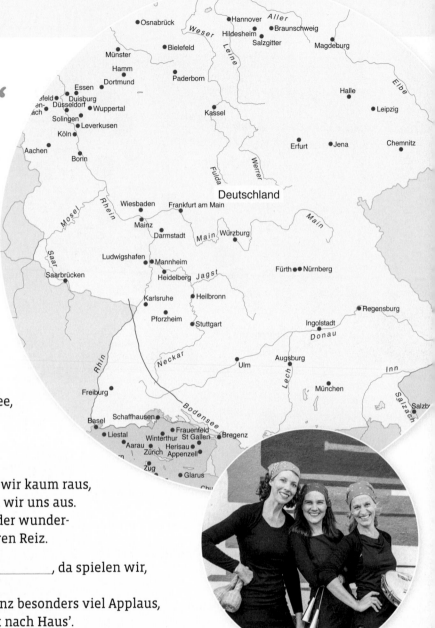

Deutschland

Refrain

Wir fahren in die Berge,
übers Land und auch ans Meer,
fahren hin, fahren her, reisen
kreuz und quer.
Mit „Wonnebeats" auf
Rhythmustour,
da gibt's Musik in Moll und Dur,
Gesang und Klang und
Percussion pur.

1 Heute gehen wir wieder auf Tournee,
erste Station: der Bodensee.
Unser Bus ist vollgepackt
und er wackelt schon im Takt.

2 Aus _____ finden wir kaum raus,
in _____ schlafen wir uns aus.
Und in _____, in der wunder-
schönen Schweiz, hat jede Ecke ihren Reiz.

3 Im Grünen Baum in _____, da spielen wir,
danach ist Party bis um vier.
In _____ gibt's ganz besonders viel Applaus,
am nächsten Morgen geht's zurück nach Haus'.

▶ 3 11 **1 Wo waren die „Wonnebeats" auf ihrer Tournee?**
Hören Sie das Lied und zeichnen Sie die Route auf der Karte ein.
Ergänzen Sie dann die Orte im Text.

▶ 3 11 **2 Rhythmus-Session**
Teilen Sie den Kurs in drei Gruppen. Jede Gruppe wählt ein
„Instrument" und begleitet einmal den Refrain. Beim
Zwischenspiel spielen alle Gruppen gemeinsam.

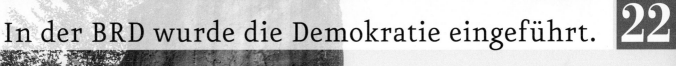

Hören: Audioguide: geschichtliche Ereignisse

Sprechen: Wunschvorstellungen ausdrücken: *Das hätte ich gern erlebt.*

Schreiben: Ereignisse zusammenfassen

Wortfeld: Geschichte

Grammatik: Passiv Perfekt: *ist eingeführt worden*; Passiv Präteritum: *wurde eingeführt*

1 Doch wie kam es dazu?

a Sehen Sie das Foto an. Wo ist der junge Mann und was macht er? Was meinen Sie?

an einer Bushaltestelle | vor einem Denkmal | ...

> Ich denke, der Mann steht eventuell ...

▶ 3 12 **b** Hören Sie und korrigieren Sie.

1 Der junge Mann macht eine ~~Kunstführung~~. *Geschichtsführung*
2 Er hört Szenen von der Maueröffnung in Berlin am 9. November 1990.
3 Durch die Berliner Mauer war das Tor zwischen BRD und DDR 28 Monate lang verschlossen.

c Interessieren Sie sich für Geschichte? Erzählen Sie.

> Na ja, ich muss mich immer dazu zwingen, mal in ein Museum zu gehen.

| 1 • Mauerbau | 2 • Euro | 3 • Soldat | 4 (Welt-)Krieg | 5 • Denkmal | 6 friedliche • Revolution |

2 Deutsche Geschichte im Kurzüberblick von 1945 bis 2002

Zu welchen Ereignissen finden Sie Bilder im Bildlexikon? Ordnen Sie zu.

1945: Kriegsende und Teilung Deutschlands in Besatzungszonen ○

1948: Berliner Luftbrücke: Die westlichen Alliierten helfen den eingeschlossenen
Westberlinern mit Lebensmitteln aus der Luft. ○

1949: Teilung Deutschlands in die BRD im Westen und die DDR im Osten ⊖

1961: Es wird eine Mauer rund um Westberlin gebaut. ○

1961–1989: Alltagskultur in der DDR: Trabant 🚗 und Datsche 🏠 ○

1989: Grenzöffnung zwischen Ungarn und Österreich,
die Konsequenz: Flucht Tausender DDR-Bürger in den Westen ○

1989: Montagsdemonstrationen in der DDR: Regime-Gegner protestieren
friedlich gegen den Staat. ○

1990: 3. Oktober: „Tag der Deutschen Einheit": Vereinigung von BRD und DDR ⑪

1993: Gründung der EU ○

2002: Einführung des Euro ○

AB **3** **Drücken Sie die 102.**

▶ 3 13-16 **a** Welche Ereignisse aus **2** passen zu den Audioguide-Sequenzen?
Hören Sie und notieren Sie die Jahreszahlen.

1 _____ 2 _____ 3 _____ 4 _____

▶ 3 13 **b** Was ist richtig? Hören Sie die erste Sequenz noch einmal und kreuzen Sie an.

1 Nach dem Kriegsende wurde Deutschland in ○ eine westliche und eine
sowjetische Besatzungszone ○ vier Besatzungszonen geteilt.

2 Die unterschiedlichen Vorstellungen von den Westmächten und der Sowjetunion
waren die Ursache für ○ die Teilung ○ die Besatzung Deutschlands.

▶ 3 14 **c** Hören Sie die zweite Sequenz noch einmal und sortieren Sie.

○ Mit der Luftbrücke halfen die Westmächte der Westberliner Bevölkerung.
① Der Westteil Berlins ist von den sowjetischen Truppen blockiert worden.
○ Rund um Westberlin entstand eine drei Meter hohe Mauer.
○ Aus wirtschaftlichen Gründen verließen immer mehr Menschen die DDR.
○ In der BRD wurde die Demokratie und in der DDR eine sozialistische
Ein-Parteien-Diktatur eingeführt.
○ Die sowjetischen Truppen gaben auf.

▶ 3 15 **d** Welche Themen aus dem Alltag in der DDR werden genannt?
Hören Sie die dritte Sequenz noch einmal und kreuzen Sie an.

Ⓧ Kinderbetreuung | ○ Schulsystem | ○ Lebensmittelknappheit | ○ Arbeitsplatzgarantie |
○ Arbeitsgenehmigungen | ○ Autos | ○ Wohnungsnot | ○ Wochenendhäuser mit Garten |
○ freie Meinungsäußerung | ○ Verhaftungen aus politischen Gründen | ○ kulturelle Angebote

7	8	9	10	11
● Gefängnis	● Europäische Union	● Luftbrücke	● Frieden	● Nationalfeiertag

▶ 3 16 **e** Was ist richtig? Hören Sie die vierte Sequenz noch einmal und korrigieren Sie.

1 1989 versuchte nur eine kleine Anzahl von DDR-Bürgern über Ungarn, Polen und die ehemalige Tschechoslowakei in den Westen zu fliehen.
2 Auch in der DDR gab es 1989 viele gewaltvolle Proteste und Demonstrationen.
3 Am 3. Oktober 1989 fiel die Berliner Mauer.

AB **4** **Wann ist die DDR gegründet worden?**

a *ist ... worden* oder *wurde*? Lesen Sie die Sätze in **3c** noch einmal und ergänzen Sie.

	Passiv
Perfekt	Der Westteil Berlins _____ von den sowjetischen Truppen _____ (blockieren).
Präteritum	In der BRD _____ die Demokratie _____ (einführen).

b Deutsche Geschichte: Arbeiten Sie auf Seite 179. Ihre Partnerin / Ihr Partner arbeitet auf Seite 182.

5 **Geschichtliche Ereignisse in Österreich und der Schweiz**
Wählen Sie ein Land und schreiben Sie einen Text zu dem Steckbrief im Passiv Präteritum.

Österreich ▬
1918: Republik Österreich gegründet | 1938: Einmarsch der Deutschen: Verlust der Selbstständigkeit, Teil des Deutschen Reichs | 1945–1955: aufgeteilt in vier Besatzungszonen | 1955: Staatsvertrag mit Alliierten unterschrieben → Selbstständigkeit gewonnen | 1995: Mitglied der EU

Im Jahr 1918 wurde die Republik Österreich gegründet. Als 1938 die Deutschen in Österreich einmarschierten, wurde ...

Schweiz ✚
1848: Bundesstaat gegründet | 1914–1918: im Ersten Weltkrieg neutral geblieben | 1939–1945: im Zweiten Weltkrieg neutral geblieben | 1971: Einführung des Frauenwahlrechts | 2001: Volksabstimmung gegen den Beitritt zur EU

AB **6** **Bei welchem historischen Ereignis wären Sie gern dabei gewesen?**
Machen Sie Notizen und erzählen Sie.

Ich wäre gern beim Bau des Eiffelturms dabei gewesen. Angeblich haben vor dem Bau viele Künstler sogar gefordert, dass das Vorhaben gestoppt wird. Der Turm erschien ihnen zu hoch und zu gefährlich. Hinterher aber lobten alle Gustave Eiffel. Das war bestimmt eine beeindruckende Zeit!

Ich wäre gern bei ... dabei gewesen. | Das hätte ich gern gesehen/erlebt/... | Das war bestimmt eine tolle/beeindruckende/interessante/... Zeit/... | Das muss sehr beeindruckend/interessant gewesen sein. | Mich hat ... schon immer beeindruckt/ interessiert/... | Ich konnte mir noch nie / schon immer gut vorstellen, ...

7 Quiz

a Arbeiten Sie zu dritt. Welche Gruppe kann die meisten Quizfragen richtig beantworten?
Vergleichen Sie im Kurs. Die Auflösung finden Sie auf Seite 181.

1 In welcher österreichischen Stadt fanden 1964 und 1976 die
Olympischen Winterspiele statt? _____

2 In welcher deutschen Stadt war die Expo 2000? _____

3 Welcher österreichische Musiker schaffte mit dem Hit
„Rock me Amadeus" den internationalen Durchbruch? _____

4 Welches Kinderbuch machte die Autorin Johanna Spyri
aus der Schweiz weltbekannt? _____

5 Welcher bekannte Komponist der Wiener Klassik wurde
1756 in Salzburg geboren? _____

6 In welcher Schweizer Stadt findet jeden Sommer das Musikfestival
„Moon and Stars" statt? _____

7 Wie heißt der deutsche Schauspieler, der durch Kinofilme wie
„Das Experiment", „Lola rennt", „Knockin' on Heaven's Door"
und „Der Baader Meinhof Komplex" bekannt wurde? _____

b Schreiben Sie drei eigene Quizfragen. Lesen Sie Ihre Fragen im Kurs. Die Gruppe, die
die Frage zuerst richtig beantwortet, bekommt einen Punkt. Gewonnen hat die Gruppe
mit den meisten Punkten.

GRAMMATIK

Passiv Perfekt

Der Westteil Berlins	ist	von den sowjetischen Truppen	blockiert worden.
In der BRD	ist	die Demokratie	eingeführt worden.

Passiv Präteritum

Der Westteil Berlins	wurde	von den sowjetischen Truppen	blockiert.
In der BRD	wurde	die Demokratie	eingeführt.

KOMMUNIKATION

Wunschvorstellungen ausdrücken

Ich wäre gern bei ... dabei gewesen.
Das hätte ich gern gesehen/erlebt/...
Das war bestimmt eine tolle/beein-
druckende/interessante/... Zeit/...
Das muss sehr beeindruckend/interes-
sant gewesen sein.
Mich hat ... schon immer beeindruckt/
interessiert/...
Ich konnte mir noch nie / schon immer
gut vorstellen, ...

A

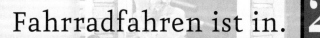

B

C

D

▶ 3 17–20

1 **Welches Fahrrad würde am besten zu Ihnen passen? Warum?**
Sehen Sie die Fotos an und erzählen Sie.

2 **Das ist mein Rad.**

a Wem gehört welches Fahrrad? Was meinen Sie?

① ○ Heike

② ○ Christoph

③ ○ Yvette

④ ○ Bruno

b Hören Sie und ordnen Sie die Fahrräder den Personen zu.

> **Sprechen/Schreiben:** Zustimmung ausdrücken: *Ich kann dir da nur zustimmen.*; rückfragen und Gleichgültigkeit ausdrücken: *Es ist mir ganz egal.*
>
> **Lesen:** Interview
>
> **Wortfelder:** Umwelt und Klima
>
> **Grammatik:** Konjunktionen *(an)statt/ohne ... zu, (an)statt/ohne dass*

AB **3** **Die fahrradfreundlichste Stadt**

Beruf

a Was passt? Überfliegen Sie das Interview und ergänzen Sie die Fragen.

Sagen Sie uns doch bitte zum Abschluss noch, wie Sie die Chancen sehen, dass in ganz Deutschland mehr und mehr Menschen aufs Fahrrad umsteigen. | Was ist neben der Infrastruktur noch nötig, um die Bürger zum Umsteigen zu bewegen? | Was machen diese Städte richtig?

DIE ZEITEN, IN DENEN SICH ALLES NUR UMS AUTO DREHTE, SIND VORBEI.

Immer mehr Städte in Deutschland, Österreich und der Schweiz erkennen, dass es sich lohnt, den Radverkehr zu fördern. Tobias Brunnthaler, Experte für Mobilität und Umwelt, hat in den letzten Jahren entscheidend dazu beigetragen, dass das so ist.

Tobias Brunnthaler

Herr Brunnthaler, gerade sind wieder die Ergebnisse für die fahrradfreundlichste Stadt in Deutschland
5 veröffentlicht worden. Ganz oben mit dabei sind Städte wie Münster, Freiburg und Karlsruhe.

Diese Städte machen sehr viel richtig. Sie schaffen es zum Beispiel, dass ihre Bürger immer mehr aufs Fahrrad steigen, statt das Auto zu benutzen. Die wichtigste Voraussetzung dafür ist natürlich der Ausbau der Radwege: Es werden breitere und neue Radstrecken eingerichtet, Straßen in reine Fahrrad-
10 straßen umgewandelt, in denen Radfahrer Vorfahrt haben, Über- oder Unterführungen für Radfahrer gebaut, damit gefährliche Kreuzungen umgangen werden können.

Außerdem werden die Parkmöglichkeiten für Fahrräder in diesen Städten verbessert. Es gibt Service-Stationen, an denen man Reparaturen
15 an Bremsen oder Klingeln durchführen lassen kann, den Reifendruck prüfen oder Ersatzteile kaufen kann, Scherben-Dienste und vieles mehr.

> **„Scherben-Dienst" für Freiburger Radwege**
> Scherben auf Radwegen sind ein Risiko. In Freiburg gibt es jetzt eine Telefon-Hotline: Ein Team der Straßenreinigung wird informiert und kann die auf dem Weg liegenden Glasscherben rasch entfernen.

Wichtig ist, dass die Bürger erkennen können, dass eine fußgänger- und fahrradfreundliche Stadt eine
20 lebenswerte Stadt ist. Dass sie spüren: Hier lebe ich in einem attraktiven Umfeld, ohne auf Komfort zu verzichten. Fest steht doch: Beim Radfahren kann man das Schöne mit dem Nützlichen verbinden. Anstatt im Stau zu stehen oder einen Parkplatz zu suchen, steigere ich Fitness und Kondition und kann mich gleichzeitig entspannen. Und nebenbei spare ich Geld und schütze aktiv die Umwelt. Bessere Argumente für das Fahrradfahren gibt es nicht!

25 _____

Ich sehe die Entwicklungen sehr positiv. Die Zeiten, in denen sich alles nur ums Auto drehte, sind vorbei. Zum einen hat die Politik erkannt, dass das Fahrrad eine sehr wichtige Rolle bei der Mobilität der Zukunft einnimmt. Außerdem nehmen auch die Bürger selbst die Sache in die Hand und demonstrieren
30 für Verbesserungen im Radverkehr. Schließlich kann kaum jemand leugnen, dass das Fahrrad besonders in Stadtgebieten meist die klügste Wahl ist. Und das erkennen hier offenbar auch junge Menschen immer mehr: Fahrradfahren ist in.

▸ 3 21 **b** **Lesen und hören Sie den Text. Was ist richtig?**
Kreuzen Sie an und korrigieren Sie die falschen Sätze.

1 In den fahrradfreundlichsten Städten wurden nicht nur die Radwege,
   sondern auch der Service für Radfahrer verbessert. ○
2 Bürger, die feststellen, dass fußgänger- und fahrradfreundliche Städte
   lebenswert sind, steigen eher auf das Fahrrad um. ○
3 Radfahren ist für die Fitness und den Geldbeutel gut. ○
4 Die Politik glaubt immer noch nur an das Auto. ○
5 Auf dem Land ziehen immer mehr junge Menschen das Fahrrad dem Auto vor. ○

c **Ergänzen Sie (an)statt/ohne ... zu oder (an)statt/ohne dass.**
Hilfe finden Sie im Text in a.

Hauptsatz	Nebensatz
Ich lebe in einem attraktiven Umfeld,	_ohne dass_ ich auf Komfort verzichte.
Ich lebe in einem attraktiven Umfeld,	_____ auf Komfort _zu_ verzichten.
Ich steigere Fitness und Kondition,	_____ ich im Stau stehe.
Ich steigere Fitness und Kondition,	_____ im Stau ____ stehen.

! Gibt es verschiedene Subjekte, verwendet man immer (an)statt/ohne dass: Die Bürger demons-
strieren für bessere Radwege, ohne dass die Politik etwas ändert. Nur wenn das Subjekt in
Haupt- und Nebensatz gleich ist, kann man auch (an)statt/ohne ... zu verwenden.

4 **Energie sparen: Arbeiten Sie zu zweit auf Seite 180.**

AB **5** **Was tun Sie für die Umwelt?**

a **Sprechen Sie mit Ihrer Partnerin / Ihrem Partner über die Themen im Bildlexikon.**

■ Ich dusche, statt zu baden. Es ist mir wichtig, nicht so viel Wasser zu verbrauchen.
▲ Das mache ich nicht. Ich entspanne mich so gern in der Badewanne. Aber ich ...
■ Ich bemühe mich, nur saisonale Produkte bei regionalen Anbietern zu kaufen. ...

b **Arbeiten Sie in Gruppen. Erzählen Sie von den Gewohnheiten, die Ihnen besonders**
wichtig sind. Diskutieren Sie.

■ Besonders wichtig ist mir das Thema Mobilität.
   Meiner Meinung nach sollte man weniger fliegen.
▲ Da kann ich dir nur zustimmen. Ich ...

rückfragen und Gleichgültigkeit ausdrücken
Macht dir das nichts aus?
Ärgerst du dich denn nicht darüber?

Nein, das ist mir ganz egal/gleich.
Das spielt keine Rolle.
Das interessiert mich nicht.
Meinetwegen kann jeder das so machen,
   wie er möchte.

Zustimmung/Ablehnung ausdrücken
Doch, du hast recht. | (Ganz) Genau.
Ich bin voll und ganz deiner Meinung.
Ich kann dir da nur/nicht zustimmen.
Davon halte ich nicht viel.
Ich bin völlig anderer Meinung. Mein
   Standpunkt ist, dass ...

AB **6** **Ich habe keine Lust auf …**

a Sie haben im Fernsehen eine Diskussionssendung zum Thema „Umweltbewusstes Verhalten" gesehen. Im Online-Forum der Sendung finden Sie folgende Meinung. Ordnen Sie zu. Nicht alle Wörter passen.

Entwicklung | Industrie | konsumieren | verschlechtern | verzichten | Vorschriften

⊖ ◯ ◯

Forumsbeitrag von ninotsch01

Ich habe keine Lust mehr auf _____ zu umweltbewusstem Verhalten. Wir sollen Wasser sparen, ökologische Lebensmittel _____, fliegen sollen wir sowieso nicht usw. Aber was ist mit der _____? Industriebetriebe sind meiner Meinung nach die größten Umweltverschmutzer. Dagegen brauchen wir strengere Gesetze. Bis es so weit ist, werde ich weder auf Inlandsflüge noch auf mein Auto _____. Denn eine gesunde Umwelt hängt nicht davon ab, wie ich mich als Einzelperson verhalte.

b Schreiben Sie nun Ihre Meinung ins Forum.

GRAMMATIK

Konjunktionen (an)statt/ohne … zu, (an)statt/ohne dass

Hauptsatz	Nebensatz
Ich lebe in einem attraktiven Umfeld,	ohne dass ich auf Komfort verzichte.
Ich lebe in einem attraktiven Umfeld,	ohne auf Komfort zu verzichten.
Ich steigere Fitness und Kondition,	statt dass ich im Stau stehe.
Ich steigere Fitness und Kondition,	statt im Stau zu stehen.

❗ Gibt es verschiedene Subjekte, verwendet man immer (an)statt/ohne dass: Die Bürger demonstrieren für bessere Radwege, ohne dass die Politik etwas ändert. Nur wenn das Subjekt in Haupt- und Nebensatz gleich ist, kann man auch (an)statt/ohne … zu verwenden.

KOMMUNIKATION

Zustimmung/Ablehnung ausdrücken

Doch, du hast recht.
(Ganz) Genau.
Ich bin voll und ganz deiner Meinung.
Ich kann dir da nur/nicht zustimmen.
Davon halte ich nicht viel.
Ich bin völlig anderer Meinung. Mein Standpunkt ist, dass …

rückfragen und Gleichgültigkeit ausdrücken

Macht dir das nichts aus?
Ärgerst du dich denn nicht darüber?

Nein, das ist mir ganz egal/gleich.
Das spielt keine Rolle.
Das interessiert mich nicht.
Meinetwegen kann jeder das so machen, wie er möchte.

Das löst mehrere Probleme auf einmal.

▶ 3 22 **1** **Was meinen Sie?**
Sehen Sie das Foto an, hören Sie und beantworten Sie die Fragen.

Was machen die Personen?
Wer sind sie?
Wo sind sie?

> Die Personen pflanzen einen
> Baum. Vermutlich ...

2 **Arbeiten Sie gern im Team? Erzählen Sie.**

> Ich arbeite lieber allein. In
> großen Gruppen muss oft so viel
> diskutiert werden und ...

Hören/Sprechen: Über-
zeugung ausdrücken:
*Dazu gibt es keine Alter-
native.*

Lesen: Magazintext

Wortfeld: Zukunfts-
visionen

Grammatik: Konjunk-
tionen *damit, um ... zu,
als ob*

| ● Elektroauto | ● Carsharing | ● Fahrrad | ● Smog | ● Klimaerwärmung | ● Wetterextreme |

3 Wie will ich leben?

a Lesen Sie die Überschrift und sehen Sie sich die Fotos an. Was meinen Sie? Worum geht es in dem Text?

> Ich vermute, dass es in dem Artikel um ein Altenheim geht.

Das Menschendorf:
Zusammen ist man weniger allein!

In unserer Serie „Vielfalt des Wohnens" stellen wir Ihnen heute das „Menschendorf" vor, ein Gemeinschafts-Wohnprojekt in Österreich mit insgesamt 120 Bewohnern. Lisa Holluschek
5 *beschreibt uns „ihr" Dorf.*

Kikerikiiii! Der Hahn reißt mich aus meinem Traum. 6:10 Uhr: Zeit aufzustehen. Dann die Kinder wecken, Frühstück machen, die Kinder zur Schule schicken – und schließlich noch
10 20 Minuten Ruhe! Ich sitze auf meiner Terrasse und trinke meinen Kaffee. Ich schaue mich um und bin glücklich!

Aber es war nicht immer leicht in den letzten Jahren. Seit wir vor sieben Jahren mit
15 40 Leuten angefangen haben, eine Vision von „unserem" Dorf zu entwickeln, mussten wir oft große Hindernisse überwinden. Um zu einem Ergebnis zu kommen, das alle zufrieden stellte, musste jeder von uns Kompromisse
20 schließen. Aber jetzt der Reihe nach:

Wir hatten uns zusammengeschlossen, um gemeinsam ein Dorf zu bauen: Familien, Singles, alleinerziehende Mütter, Paare, Alt und Jung. Wir alle waren auf der Suche nach einem
25 neuen Konzept von Wohnen und Leben. Um das zu verwirklichen, waren wir bereit, unser Leben miteinander zu teilen. Ein Ort war schon gefunden: ein alter Gutshof mit einem kleinen Wald. Diesen Hof wollten wir renovieren.

30 Wir trafen uns zwei Jahre lang regelmäßig, um uns kennenzulernen und unsere Visionen zu entwickeln. Die Kinder wünschten sich einen Swimmingpool, die Erwachsenen einen Brunnen und Sitzplätze im Grünen. Anfangs waren
35 der Fantasie keine Grenzen gesetzt.
Nach und nach mussten wir Entscheidungen treffen und die Einzelheiten festlegen. Das war die schwierigste Zeit. Und ich habe oft gedacht: „Jetzt steige ich aus! Allmählich wird

40 mir das zu schwierig!"
Aber wir haben es dann geschafft. Heute sind wir eine Gemeinschaft, in der wir uns gegen-
45 seitig unterstützen, füreinander Verantwortung übernehmen und uns auch in Ruhe lassen können. Nebenan wohnt „Oma Anne", die in der Not auch mal für mein krankes Kind da sein
50 kann, wenn ich zu einem Termin in die Stadt fahren muss. Dafür mache ich für sie die schweren Einkäufe.

Samstags haben wir immer wieder soge-
55 nannte Arbeitstage: Wir bauen zum Beispiel gemeinsam einen neuen Fahrrad-schuppen, rechen
60 Blätter oder ernten die reifen Pflaumen. Abends zünden wir dann zusammen ein Feuer an und grillen.

Natürlich gibt es in so einer Gemeinschaft
65 auch Konflikte. Da mussten wir erst lernen, wie wir zu guten Lösungen kommen und mit Kritik umgehen können.

Aber ich bin sehr zufrieden mit unserem Dorf. Seit einem halben Jahr sind alle Gebäude fer-
70 tig. Die alten Häuser sind jetzt barrierefrei, das heißt, auch für Rollstuhlfahrer geeignet, und energiesparend. Einige von uns haben ihren Arbeitsplatz im Dorf: Es gibt eine Tischlerei, eine Bio-Metzgerei, einen Friseur und zwei
75 Musiker, die hier Unterricht geben. Drei Familien haben den landwirtschaftlichen Betrieb wieder aufgebaut, damit wir die Nachfrage nach Obst und Gemüse in unserem Dorf bedienen können.

80 Unsere Kinder können abseits vom Autover-
kehr und von Abgasen spielen und die Natur
erfahren. Unsere Eltern und Großeltern können hier betreut werden. Und wir alle haben
täglich die Möglichkeit, uns zu entscheiden:
85 zwischen Miteinander oder Distanz, zwischen
einer Tasse Espresso im Dorfcafé oder einem
Tee auf dem eigenen Sofa. Uns ist soziales und
ökologisches Engagement wichtig. Das Menschendorf lebt von der Vielfalt und davon, dass
90 jeder seine Träume und Wünsche einfließen
lässt, damit gemeinsam etwas Neues entsteht.

*Unsere Autorin Lisa Holluschek ist 42 Jahre alt
und arbeitet als freie Grafikerin. Ihre Kinder
Maja und Leon sind 9 und 11 Jahre alt.*

b Was ist richtig? Überfliegen Sie den Text und kreuzen Sie an.

1 Lisa Holluschek beschreibt das Dorf, ◯ in dem sie aufgewachsen ist.
⠀⠀⠀⠀⠀⠀⠀⠀⠀⠀⠀⠀⠀⠀⠀⠀⠀⠀⠀⠀⠀⠀⠀⠀⠀⠀⠀◯ das sie mit aufgebaut hat.

2 Sie fühlt sich dort wohl, ◯ obwohl es auch Schwierigkeiten gab und gibt.
⠀⠀⠀⠀⠀⠀⠀⠀⠀⠀⠀⠀⠀⠀⠀⠀◯ allerdings möchte sie nicht mehr dort wohnen,
⠀⠀⠀⠀⠀⠀⠀⠀⠀⠀⠀⠀⠀⠀⠀⠀⠀⠀weil sie es zu anstrengend findet.

c Lesen Sie noch einmal, machen Sie sich Notizen zu den Fragen und vergleichen Sie mit Ihrer Partnerin / Ihrem Partner.

1 Wer hat sich zusammengeschlossen und warum?
2 Was haben die Menschen in der Planungsphase gemacht?
3 Wie beschreibt Lisa Holluschek das Zusammenleben der Dorfbewohner?

AB **4 Und Sie? Würden Sie gern in diesem Dorf wohnen? Warum / Warum nicht?**

■ Für mich wäre das nichts. Wenn eine so große Gruppe alles gemeinsam beschließt, dauern die Prozesse einfach zu lang.
▲ Aber man kann anscheinend viel mitbestimmen. ...

AB **5 Wir hatten uns zusammengeschlossen, damit ...**

a Markieren Sie die Subjekte in den Haupt- und Nebensätzen und die Konjunktionen wie im Beispiel. Kreuzen Sie dann in der Tabelle an.

<u>Drei Familien</u> haben den Betrieb wieder aufgebaut, **damit wir** die Nachfrage nach Obst und Gemüse bedienen können.
Wir hatten uns zusammengeschlossen, damit wir gemeinsam ein Dorf bauen.
Wir hatten uns zusammengeschlossen, um gemeinsam ein Dorf zu bauen.

	damit	um ... zu
Das Subjekt in Haupt- und Nebensatz ist gleich. Man verwendet	◯	◯
Die Subjekte in Haupt- und Nebensatz sind verschieden. Man verwendet nur	◯	◯

b Absichten ausdrücken: Arbeiten Sie zu zweit auf Seite 181.

6 Radiosendung „Forum Zukunft"

Spiel & Spaß

a Welche Zukunftsszenarien aus dem Bildlexikon passen zu den Begriffen?
Notieren Sie und vergleichen Sie mit Ihrer Partnerin / Ihrem Partner.

alternde Gesellschaft: _____

Ernährung: _____

Klimaveränderung: _____

Mobilität: _____

▶ 3 23   **b** Welche Zukunftsszenarien werden diskutiert?
Hören Sie die Radiodiskussion und markieren Sie in a.

noch einmal?

▶ 3 23   **c** Wer sagt was? Hören Sie die Radiodiskussion
noch einmal und kreuzen Sie an.

	Frau Grosser	Frau Granados	Herr Dr. Fischer	Herr Brandes
1 In einer alternden Gesellschaft sind Mehrgenerationen-Projekte eine gute Idee.	⊗	○	○	○
2 Technologische Lösungen sind nötig, um die wachsende Zahl der Senioren in Altenheimen betreuen zu können.	○	○	○	○
3 Ich befürworte Technologien, die mir helfen, mein Leben auch im Alter unabhängig zu gestalten.	○	○	○	○
4 In Zukunft können wir auch aus der Entfernung betreut werden.	○	○	○	○
5 Wir brauchen Elektroautos, die gemeinschaftlich genutzt werden.	○	○	○	○
6 In Sachen Klimaschutz können die Bürger mit ihren Initiativen unheimlich viel verändern.	○	○	○	○
7 Gemeinschaftsgärten und Bienenstöcke sind ein Zeichen für den zunehmenden Wunsch nach Selbstversorgung.	○	○	○	○

AB   ## 7 Wir tun so, als ob …

Spiel & Spaß

a Lesen Sie und kreuzen Sie an. Welche Aussage passt zu dem Satz?

Wir tun so, als ob wir in Sachen Klimaschutz ewig Zeit für Veränderungen hätten.
○ Man hat keine Zeit mehr für Veränderungen.
○ Man hat noch ewig Zeit für Veränderungen.

GRAMMATIK

als ob + Konjunktiv II
So will man die Dinge sehen: Wir tun so, als ob wir Zeit hätten.

b Bruno tut so, als ob …: Arbeiten Sie zu zweit auf Seite 183.

AB **8** **Unsere Zukunft in 50 Jahren**

a Arbeiten Sie in Gruppen. Wie stellen Sie sich die Zukunft in 50 Jahren vor?

Wählen Sie mehrere Themen und entwickeln Sie eine positive und eine negative Vision.

Gesellschaft (Freizeit, Arbeit, Gerechtigkeit, Verbrechen, …) | Wirtschaft (Konsum, Unternehmen, Produktion, …) | Technologie (Medizin, Maschinen/Roboter, Überwachung, Transport, …) | Politik (Sicherheit, Freiheit, Macht, Mitbestimmung, …)

Gesellschaft	
Positive Vision	Negative Vision
niemand muss arbeiten, alle erhalten den gleichen Lohn	Arbeitnehmer arbeiten viel und bekommen einen geringen Lohn
Arbeit ist freiwillig, max. 20 Stunden pro Woche, es gibt keine Entlassungen mehr	Arbeitszeit: man muss 6 Tage pro Woche, mind. 60 Stunden anwesend sein
Freizeit ist wichtig	Sonntag: Hausarbeit viele klagen über gesundheitliche Beschwerden
alle haben viel Zeit und helfen sich gegenseitig, sie kommen dann auch mit weniger Geld aus	alle kommunizieren nur noch über den Computer, weil sie keine Zeit haben, sich zu treffen

b Machen Sie ein Plakat und schreiben Sie Texte zu Ihren Visionen. Suchen Sie auch passende Fotos oder zeichnen Sie.

Diktat

c Präsentieren Sie Ihre Visionen im Kurs. Die anderen kommentieren und begründen ihre Meinung.

KOMMUNIKATION

> **Überzeugung ausdrücken**
> Ich bin davon überzeugt, dass … eine/keine Rolle spielen wird.
> Bei der zunehmenden Globalisierung / Alterung der Gesellschaft / …
> Wir werden … tun müssen, damit …
> Ist es realistisch, dass …?
> Wir müssen weiter intensiv …, sonst …
> Wenn …, dann haben wir keine andere Wahl.
> Wenn sich die Zahl der … weiter so erhöht/vergrößert, dann …
> Die Sache ist ganz einfach: Wir müssen …
> Wir können nicht so tun, als ob …
> Das löst mehrere Probleme auf einmal.
> Es gibt keine Alternative zu … / Dazu gibt es keine Alternative.
> Meiner Überzeugung nach …
> Für mich besteht kein Zweifel daran, dass …
> Ich zweifle nicht daran, dass …

9 Wünsche zum Abschied

a Lesen Sie.

> Herzlichen Glückwunsch! Sie haben nun viele Monate mit *Menschen* gearbeitet und sicherlich viel gelernt! Wenn Sie möchten, können Sie nun eine B1-Prüfung machen. Dafür wünschen wir Ihnen viel Erfolg!
>
> Wir, die AutorInnen und Redakteurinnen, hatten viel Vergnügen bei der Entwicklung von *Menschen*. Wir hoffen sehr, dass auch Sie Spaß mit den zahlreichen Geschichten und Übungen hatten.
> Egal, ob Sie die deutsche Sprache für Ihren Beruf, Ihre Ausbildung, Ihre Familie oder Ihren Urlaub brauchen, jetzt haben Sie bereits einen großen Schritt gemacht. Wir hoffen, dass Sie auch in Zukunft noch viel und oft Deutsch sprechen. Vielleicht möchten Sie sogar noch weitere Kurse besuchen. In beiden Fällen wünschen wir Ihnen alles Gute für Ihre weitere Deutschkarriere!

b Schreiben Sie Ihren Namen auf einen Zettel. Mischen Sie die Zettel und ziehen Sie einen Namen. Was wünschen Sie der Person zum Kursabschluss? Machen Sie Notizen und schreiben Sie dann.

1 Wie ist die Person? / Was sind ihre Stärken?
2 Wofür möchten Sie sich bei der Person bedanken?
3 Was wünschen Sie der Person zum Abschied/Kursabschluss?

Audiotraining

Karaoke

GRAMMATIK

Konjunktionen *damit* / *um ... zu* (Absichten ausdrücken)

Drei Familien haben den Betrieb wieder aufgebaut, damit wir die Nachfrage nach Obst und Gemüse bedienen können.
Wir hatten uns zusammengeschlossen, damit wir gemeinsam ein Dorf bauen.
Wir hatten uns zusammengeschlossen, um gemeinsam ein Dorf zu bauen.

Das Subjekt in Haupt- und Nebensatz ist gleich: Man kann damit oder um ... zu verwenden.

Die Subjekte in Haupt- und Nebensatz sind verschieden: Man kann nur damit verwenden.

Konjunktion *als ob* + Konjunktiv II (irrealer Vergleich)

Wir tun so, als ob wir in Sachen Klimaschutz ewig Zeit für Veränderungen hätten.

KOMMUNIKATION

Überzeugung ausdrücken

Ich bin davon überzeugt, dass ... eine/keine Rolle spielen wird.
Bei der zunehmenden Globalisierung / Alterung der Gesellschaft / ...
Wir werden ... tun müssen, damit ...
Ist es realistisch, dass ...?
Wir müssen weiter intensiv ..., sonst ...
Wenn ..., dann haben wir keine andere Wahl.
Wenn sich die Zahl der ... weiter so erhöht/ vergrößert, dann ...
Die Sache ist ganz einfach: Wir müssen ...
Wir können nicht so tun, als ob ...
Das löst mehrere Probleme auf einmal.
Es gibt keine Alternative zu ... / Dazu gibt es keine Alternative.
Meiner Überzeugung nach ...
Für mich besteht kein Zweifel daran, dass ...
Ich zweifle nicht daran, dass ...

Presseinformation

Unten Fische, oben Frische!

Aquaponik-Farm in Berlin richtet Besuchertag ein

Ab Mai öffnet die Firma ECF Farmsystems immer freitags ihren Aquaponik-Container zur Besichtigung. Was ist „Aquaponik"? Dieses Wort setzt sich aus „Aquakultur" und „Hydroponik" zusammen. Es beschreibt die Kombination von Fischaufzucht und Gemüseanbau.

Die Anzahl der Fische pro Becken ist genau festgelegt, damit die Tiere keinen Stress haben und optimal wachsen können.

Neue Technologien sind wichtig, damit die wachsende Weltbevölkerung weiterhin gesund ernährt werden kann.

Auf dem Gelände der Malzfabrik Berlin kann man sich dieses intelligente Konzept ansehen. Dort leben ca. 100 Speisefische (meist Buntbarsche) in einem früheren Schiffscontainer in großen Wasserbecken. Im Gewächshaus, das auf dem Container steht, findet man Tomaten, Paprika, Gurken, Basilikum und vieles mehr. Diese Pflanzen brauchen nicht einmal Erde, um zu wachsen, denn sie bekommen all ihre Nährstoffe ausschließlich aus dem gefilterten Wasser der Fische. So kommt es zu einem umweltschonenden Kreislauf.

Mit dem Aquaponik-Konzept können Pflanzen und auch tierisches Eiweiß (z. B. Fische) mitten in der Stadt produziert werden, und zwar:
· auf allerkleinstem Raum
· ohne die Lebensmittel über weite Strecken zu transportieren
· ohne sie aufwendig zu kühlen
· bei sehr geringem Wasserverbrauch

Wenn Sie mehr über unser Konzept wissen oder eine individuelle Führung vereinbaren möchten, dann senden Sie uns bitte eine E-Mail an info@ecf-farmsystems.com und vereinbaren Sie mit uns einen Besichtigungstermin.

1 **Lesen Sie und beantworten Sie die Fragen.**

a Was bedeutet der Begriff „Aquaponik"?
Aquaponik ist die Verbindung von Fischaufzucht (Aquakultur) und Pflanzenanbau ohne Erde (Hydroponik).
b Welche Produkte gibt es auf der Aquaponik-Farm?
c Was brauchen die Pflanzen für das Wachstum?
d Welche Vorteile hat Aquaponik?
e Wie können Sie sich informieren?

2 **Und Sie?**
Achten Sie beim Einkauf auf die Herkunft und die Herstellung der Produkte?

▶ Clip 8 **1** **In den Bergen**

a Worum geht es in diesem Film? Was meinen Sie?
Sehen Sie den Anfang des Films ohne Ton (bis 0:41)
und sprechen Sie.

> Ich vermute, dass das
> ein Heimatfilm ist.

b Sehen Sie den Anfang des Films
nun mit Ton (bis 0:41) und
vergleichen Sie.

c Sehen Sie den Film weiter (bis 2:38) und sortieren Sie.

○ „Bei uns kommen ab und zu Wanderer vorbei, denen wir dann Milch,
Käse und selbst gebackenes Brot servieren."

○ „Mein Vater und die Sennerin betreuen meine Kühe über den ganzen
Sommer und verarbeiten die Milch zu Bergkäse und Tilsiter."

① „Ich bin so oft wie möglich auf der Alm, weil ich mich dort oben
so wohlfühle."

Thomas Fankhauser

○ „Zusammen mit unseren 10 Kühen produzieren wir 10 000 Liter
Heumilch. Daraus werden 1000 Kilo Käse hergestellt. Wir stellen
hauptsächlich Bergkäse und Tilsiter, aber auch andere Milchprodukte wie Butter und Topfen her."

Martina Irlbacher

> Heumilch wird besonders naturnah und traditionell hergestellt. Die Kühe
> ernähren sich im Sommer von frischem Gras, Kräutern und Blumen und
> im Winter von Heu und Getreide. Deswegen hat die Heumilch nicht nur
> eine hohe Qualität, sondern auch einen besonderen Geschmack.
>
> INFO

2 **Heumilch-Produkte in Österreich**

▶ Clip 8 **a** Was ist richtig? Sehen Sie jetzt den ganzen Film und kreuzen Sie an.

1 In Österreich verbringen alle Heumilch-Kühe die Sommermonate in den Bergen. ○
2 Aus Heumilch kann Käse ohne Konservierungsmittel hergestellt werden. ○
3 In Österreich müssen alle Käsesorten aus Heumilch hergestellt werden. ○
4 In Österreich gibt es mehr als 80 Betriebe, die Heumilch verarbeiten. ○
5 Die Betriebe stellen neben Käse auch viele andere Milchprodukte her. ○

b Und Sie? Haben Sie schon Heumilch-Produkte gegessen oder würden Sie gern
einmal welche probieren? Erzählen Sie.

1 Sprichwörter: Lesen Sie und ordnen Sie die passenden Sprichwörter aus dem Text zu.

Sprichwörter sind Sätze, die in der Regel eine Erkenntnis oder eine Lebenserfahrung ausdrücken. Das können Alltagserfahrungen und Meinungen („Ein blindes Huhn findet auch mal ein Korn."), Warnungen („Wer anderen eine Grube gräbt, fällt selbst hinein.") oder Empfehlungen („Früh übt sich, wer ein Meister werden will.") sein. Die Autoren sind in der Regel unbekannt. Aber es gibt auch Sätze aus der Bibel und der Literatur, die so häufig benutzt wurden, dass sie heute als Sprichwörter gelten.

Eine Schwalbe macht noch keinen Sommer.
Bedeutung: Ein einzelnes positives Ereignis bedeutet nicht, dass alles besser wird.
Herkunft: Eine Fabel von Äsop: Ein junger Mann hat nur noch einen Mantel übrig, nachdem er zuvor sein ganzes Geld ausgegeben hat. Als er eine Schwalbe sieht, verkauft er auch seinen Mantel. Doch es gibt noch einmal Frost, sodass der Mann frieren muss und die Schwalbe stirbt.
Englisch: One swallow doesn't make a summer.

Hunde, die bellen, beißen nicht.
Bedeutung: Jemand, der laut und aggressiv ist, ist ungefährlich und wird wahrscheinlich nicht nach seinen Worten handeln.
Herkunft: Alltagserfahrungen: Hunde zeigen vor Angriffen keine Signale.
Wenn sie aber bellen, kommt es fast nie zu ernsthaften Kämpfen.
Englisch: Barking dogs don't bite.

2 Mein schönstes Sprichwort

a Wählen Sie ein Sprichwort, recherchieren Sie im Internet und/oder in Wörterbüchern und machen Sie Notizen zu den Fragen.

Kleider machen Leute. | Viele Wege führen nach Rom. | Aller guten Dinge sind drei. | Geteiltes Leid ist halbes Leid. | Zeit ist Geld. | Aller Anfang ist schwer. | Man soll die Feste feiern, wie sie fallen. | Ausnahmen bestätigen die Regel. | Du siehst den Wald vor lauter Bäumen nicht.

1 Was bedeutet das Sprichwort?
2 Gibt es ein ähnliches Sprichwort in Ihrer Muttersprache?

b Machen Sie ein Sprichwort-Büchlein im Kurs: Schreiben Sie kurze Texte zu Ihrem Sprichwort und suchen Sie passende Bilder. Präsentieren Sie Ihr Sprichwort im Kurs.

Wir alle sind Menschen

Refrain

Wir alle sind Menschen,
ob Bauer, ob Banker,
Friseur und Fakir.
Was unterscheidet uns vom Tier?

1 Das fehlende Fell?
   Wir wurden geboren,
   mit Nasen und _____.
   Ohne Pelz   und Gefieder,
   nur Haut   und Glieder.
   Was noch, was noch, was noch?

2 Der aufrechte Gang?
   Gehen statt bücken,
   mit geradem _____.
   Damit wir _____
   und tanzen können.
   Was noch, was noch, was noch?

3 Emotionen, Gedanken?
   Dass wir uns _____,
   statt zu bekriegen?
   Dass wir verzeihen,
   statt nur zu _____?
   Was noch, was noch, was noch?

4 Ist es die Sprache?
   Denn Sprachen _____,
   Grenzen verschwinden,
   Menschen verstehen sich.
   Mensch, trau dich und _____!
   Das unterscheidet auch dich vom Tier.

▶ 3 24 **1** **Arbeiten Sie zu zweit und ergänzen Sie den Liedtext.**
         Hören Sie dann das Lied und vergleichen Sie.

lieben | Ohren | rennen | Rücken | schreien | sprich | verbinden

2 **Menschen und Tiere**
Gruppenarbeit: Notieren Sie Gemeinsamkeiten
und Unterschiede. Vergleichen Sie Ihre Notizen
dann mit einer anderen Gruppe.

Tier
Gefieder, Fell,
können sehr gut
riechen

Haut, sind lebendig,
bewegen sich,
ernähren sich

Haare,
diskutieren

Mensch

KB I S. 13 **Lektion 1** **5b**

dem Kunden / den Kollegen

a Ergänzen Sie in der richtigen Form.

Kunde | Kollege

Ich habe morgen Geburtstag. Deshalb backe ich einen Kuchen für meine

_____ .

Gleich kommt Herr Kampe. Er ist ein besonders schwieriger _____ .

b Schreiben Sie zu zweit Sätze wie in a und tauschen Sie sie mit einem anderen Paar.
Ergänzen Sie dann die passenden Nomen in der richtigen Form.
Hilfe finden Sie im Wörterbuch.

Junge | Kunde | Kollege | Deutsche | Pole | Student | Konkurrent | Praktikant | Mensch | Nachbar | ...

KB I S. 21 **Lektion 3** **4**

Rund ums Wohnen

Wählen Sie ein Wort zum Thema „Wohnen" aus dem
Text oder dem Bildlexikon auf den Seiten 20 und 21
und schreiben Sie es auf ein Kärtchen. Mischen Sie
alle Kärtchen und bilden Sie zwei Gruppen.
Ein Teilnehmer aus Gruppe A zieht ein Kärtchen und
zeichnet den Begriff an die Tafel. Wenn Gruppe A das
Wort innerhalb von 30 Sekunden erraten kann, erhält
sie einen Punkt. Dann ist Gruppe B an der Reihe. Die
Gruppe mit den meisten Punkten gewinnt.

Variante: Umschreiben Sie den Begriff auf dem Kärtchen.

Einfamilienhaus

Mein erster Arbeitstag im Hotel

a Sehen Sie zu zweit die Bildergeschichten an. Zu welcher wollen Sie eine Geschichte schreiben? Wählen Sie aus.

①

②

b Suchen Sie passenden Wortschatz zu Ihrer Bildergeschichte und machen Sie Notizen.

— Chef hielt Ansprache
— Chef führte uns durch das Hotel

c   Schreiben Sie nun Ihren Bericht.

> Der erste Tag ist mir in guter/schlechter Erinnerung geblieben.
> Schon der erste Tag machte mir (keinen) Spaß / (nicht so) viel Freude.
> Erst habe ich nicht so viel erwartet, aber dann gefiel es mir total gut.
> Besonders gut / Nicht so gut gefiel mir das Betriebsklima / der Chef /…
> Das fand ich sehr angenehm/prima/schön.
> Das fand ich enttäuschend/schrecklich/unangenehm.
> Nur von dem Essen / den Kollegen / den anderen Auszubildenden /…
>   war ich sehr enttäuscht.
> Etwas merkwürdig war, dass …
> Der erste Tag war zwar anstrengend, aber …
> Insgesamt fühlte ich mich sehr wohl / nicht besonders wohl.
> Insgesamt gefiel mir der erste Tag sehr gut / nicht so gut.

KOMMUNIKATION

> Gleich/Schon am Morgen …
> Dann/Danach/Anschließend …
> Gegen Mittag/Abend/zehn Uhr …
> Am frühen/späten Vormittag/
>   Nachmittag …
> Erst am Abend …

KOMMUNIKATION

KB I S. 22 **Lektion 3 6**

Endlos-Sätze: Das ist der Garten, in dem ich mich ausruhe, …

a   Arbeiten Sie zu viert. Sehen Sie sich die Satzanfänge 1–4 an. Wählen Sie einen Satzanfang wie im Beispiel und schreiben Sie ihn auf einen Zettel. Ergänzen Sie einen Relativsatz. Tauschen Sie die Zettel reihum und ergänzen Sie einen weiteren Relativsatz usw. Sie haben zehn Minuten Zeit.

helfen | danken | treffen mit | gratulieren | gehören | sprechen mit | träumen von | verabreden mit | denken an | ärgern über | sprechen über | sich interessieren für | warten auf | …

1   Das ist der Hausmeister/Garten/Makler/Kollege, …
2   Das ist das Haus/Kind/Buch/Lied, …
3   Das ist die Familie/Wohnung/Kundin/Nachbarin, …
4   Das sind die Nachbarn/Kinder/Kunden/Mitbewohner, …

> Das ist die Nachbarin,
> die schon so lange krank ist,
> der ich letzte Woche Blumen gebracht habe,
> mit der ich gestern telefoniert habe,
> für die ich heute eingekauft habe,
> …

> Das ist der Garten,
> in dem ich mich ausruhe,
> von dem ich dir erzählt habe,
> für den meine Frau sich nicht interessiert,
> …

> Das ist das Haus,
> in dem ich aufgewachsen bin,
> …

> Das sind die …,

b   Welche Gruppe hat die längsten Sätze? Lesen Sie Ihre Sätze im Kurs vor.

Lektion 4 4b

Anruf beim Kundenservice: Spielen Sie zu zweit Telefongespräche.
Notieren Sie Sätze aus **4a** auf Seite 30, die Sie verwenden möchten.

①

Sie möchten das Nachrichten-
magazin *Aktuell* bestellen.
Sie rufen beim Verlag an.

Sie sind nicht zuständig.
Sie verbinden.
Kollegin: zu Tisch
Kunde: noch einmal anrufen

②

Sie haben eine Reklamation:
Die Zeitung ist seit zwei Tagen
nicht gekommen.

Sie sind nicht zuständig.
Sie verbinden.
Kollege: Sitzung, ruft zurück /
Telefonnummer?

Lektion 4 6d

Die Werbung verspricht eine einhändige Bedienung. Trotzdem ...

a   Lesen Sie die Werbung und den Erfahrungsbericht und ergänzen Sie zu zweit die Tabelle.

ApfelOne – hohe Qualität zu kleinem Preis

- Einhändige Bedienung möglich!
- Super Bildqualität!
- Gute Musikqualität!
- Hohe Speicherkapazität!
- Schnelles Surfen!

Handy ApfelOne

ERFAHRUNGSBERICHT   ☆ ☆ ☆ ☆ ☆

Ich habe mir vor zwei Monaten ein ApfelOne gekauft und bin leider sehr enttäuscht.
Ich wollte ein Handy, das ich mit einer Hand bedienen kann. Das Handy ist aber so
groß, dass das nicht funktioniert. So brauche ich immer beide Hände für die Bedienung.
Besonders schade finde ich, dass die Bilder eine so schlechte Qualität haben. Sie sind
unscharf und die Farben sind blass. Nicht mal das Musikhören macht Spaß, weil der
Sound so schlecht ist. Man kann auch nur wenige Daten speichern. Der Speicher war
schon nach einem Monat fast voll und das Surfen dauert auch viel zu lange. Das ging
ja sogar mit meinem alten Handy schneller. Ich kann das ApfelOne auf keinen Fall
empfehlen, wenn Ihr damit mehr wollt als nur telefonieren!

Lena, Dresden

Werbung	Realität
einhändige Bedienung möglich	man braucht beide Hände

b Schreiben Sie zu Ihrer Tabelle zu zweit Sätze mit *obwohl* oder *trotzdem* und vergleichen Sie mit einem anderen Paar.

> Obwohl die Werbung eine einhändige Bedienung verspricht, braucht man beide Hände. /
> Die Werbung verspricht eine einhändige Bedienung. Trotzdem braucht man beide Hände.

KB I S. 35 **Lektion 5** **7d**

Technischer Fortschritt: Wie sieht das Leben in 50 Jahren aus?

a Arbeiten Sie in Gruppen. Wie stellen Sie sich die Zukunft vor?
Wählen Sie zwei bis drei Themen und machen Sie Notizen.

Wohnen | Stadt | Verkehr | Einkauf | Ernährung | Freizeit | ...

> Wohnen: Roboter räumen die Wohnung auf und kochen, ...
> Verkehr: Transport mit Raumschiffen, ...
> Ernährung: Essen wird geliefert, Online-Supermärkte, ...

b Verteilen Sie die Themen und schreiben Sie zu zweit Texte.

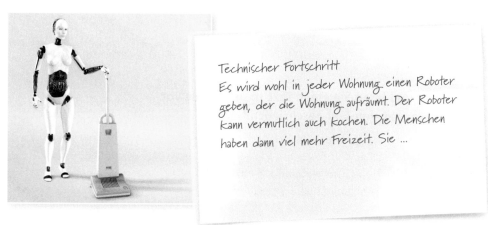

> Technischer Fortschritt
> Es wird wohl in jeder Wohnung einen Roboter
> geben, der die Wohnung aufräumt. Der Roboter
> kann vermutlich auch kochen. Die Menschen
> haben dann viel mehr Freizeit. Sie ...

Zukunftsvisionen: Wo sehen Sie sich in ... Jahren?

a Wählen Sie einen Zeitpunkt. Machen Sie Notizen und schreiben Sie dann einen Text.

	in einem Jahr	in 5 Jahren	in 20 Jahren
Beruf	neue Firma, mehr verdienen		
Familie			
Wohnen			
Freizeit/Hobbys			
Reisen			

In einem Jahr werde ich vielleicht in einer anderen Firma arbeiten und dort werde ich viel mehr Geld verdienen. Ich werde hoffentlich immer noch mit meiner Freundin zusammen wohnen. Aber wir werden noch keine Kinder haben. ...

b Mischen Sie die Texte und lesen Sie einen Text in der Klasse vor.
Die anderen raten: Wer hat den Text geschrieben?

KB I S. 48 **Lektion 7** 6

Marissa fängt bald an, mehr Sport zu machen.

a Fragen Sie Ihre Partnerin / Ihren Partner und ergänzen Sie.

- ■ Womit fängt Marissa bald an?
- ▲ Sie fängt bald an, mehr Sport zu machen.

	Marissa	Ben	Ich	Meine Partnerin / Mein Partner
womit – bald anfangen	*mehr Sport machen*	für die Prüfung lernen		
was – sich vorstellen können	aufs Land ziehen			
womit – bald aufhören		den ganzen Tag Kaffee trinken		
was – oft vergessen	ihre Haustür abschließen			
was – anstrengend finden		mit Kunden Deutsch sprechen		
was – interessant finden		fremde Länder kennenlernen		
was – toll finden	tauchen			
wozu – keine Zeit haben		tanken		
wozu – keine Lust haben		Städte besichtigen		
wovor – Angst haben	keinen Ausbildungsplatz finden			

b Ergänzen Sie Ihre Spalte und fragen Sie Ihre Partnerin / Ihren Partner.

Variante: Ergänzen Sie in Ihrer Spalte auch falsche Informationen.
Kann Ihre Partnerin / Ihr Partner die Fehler finden?

Rollenspiel

Wählen Sie eine Situation, machen Sie Notizen und spielen Sie Beratungsgespräche.
Welche Redemittel aus **7c** auf Seite 49 wollen Sie verwenden? Notieren Sie sie auf Kärtchen.

①

Kundin/Kunde
Sie suchen eine Outdoorjacke.
Sie brauchen sie für
Klettertouren im Sommer.

Verkäuferin/Verkäufer
Sie informieren den Kunden:
Outdoorjacke im Angebot;
aber: nicht wasserdicht
Sie empfehlen: gute Outdoorjacke,
wasserdicht: auch bei starkem Regen

②

Kundin/Kunde
Sie brauchen Wanderschuhe.
Sie brauchen Sie für Wanderungen
im Gebirge.

Verkäuferin/Verkäufer
Sie informieren den Kunden:
Wanderschuhe im Angebot; aber:
sehr schwer und keine gute Sohle
Sie empfehlen: gute Wanderschuhe,
leicht und atmungsaktiv, sehr gute Sohle

Verkäuferin/Verkäufer

Kann ich Ihnen helfen?
Außerdem sollten Sie bedenken, dass …
…

Kundin/Kunde

Ich möchte mich mal bei Ihnen umsehen
und informieren.
Ich suche …
…

Auflösung zu Seite 33:

E-Mail: 1971 (Ray Tomlinson); Internet: seit Anfang der 1990er Jahre;
Laptop (z.B. Data general one): 1980er Jahre; Mobiltelefon: Anfang der 1990er Jahre;
PC (z.B. Altair 8800 und IBM 5100): 1970er Jahre; Smartphone: Mitte der 1990er;
SMS: Anfang der 1990er Jahre; Tablet-PC (Surfpad): 2001

Lektion 8 4

Wörter im Text verstehen

Sehen Sie die markierten Wörter an: 12 sind falsch und 4 sind richtig.
Finden Sie die Fehler und ergänzen Sie die richtigen Wörter aus dem Kasten.

eignen | Freiheit | funktioniert | Kontakt | Langeweile | ~~nachdenken~~ | naturwissenschaftlichen |
schmutzig | Schreibtisch | selbstständige | stundenlang | überlegen

8-14 Punkte: Der technische Typ

Bevor Sie nicht herausgefunden haben, wie
etwas repariert, geben Sie keine Ruhe. Dabei
können Sie lustig vor sich hin arbeiten.
Kontakt mit Menschen oder Abwechslung sind
Ihnen nicht so wichtig. Für Sie verhalten sich
alle technischen Berufe und pädagogischen
Studiengänge.

15-20 Punkte: Der handwerkliche Typ

Es macht Ihnen nichts aus, auch mal kontakt-
freudig zu werden – Hauptsache, Sie haben
Spaß an der Arbeit. Während andere noch
nachdenken ~~entscheiden~~, haben Sie die Arbeit schon
erledigt. Für Sie ist ein Ausbildungsberuf
besser als ein Studium, da Sie nicht gern
am Büro sitzen.

21-26 Punkte: Der kreative Typ

Ihr Motto: Bloß keine Abwechslung aufkommen
lassen! Sie brauchen einen Beruf, der viel
Abwechslung mit sich bringt. Da Sie Ihre Lösung
lieben und gern Ihren Kopf durchsetzen,
ist eine ehrliche Arbeit die richtige für Sie.
Designer, Architekt oder auch Journalist sind
Berufe, die gut zu Ihnen passen.

27-32 Punkte: Der soziale Typ

Während Sie kochen, übernehmen Sie genau,
wem was schmeckt. Bevor es nicht *allen* gut
geht, geht es Ihnen auch nicht gut. Anleitung
mit Menschen ist Ihnen sehr wichtig, da Sie
nicht gern allein sind. Für Sie kommen alle
Pflegeberufe infrage. Außerdem Studiengänge
wie Pädagogik, soziale Arbeit oder Psychologie.

Variante: **Lösen Sie die Aufgabe ohne Auswahlkasten.**

Marissa fängt bald an, mehr Sport zu machen.

a Fragen Sie Ihre Partnerin / Ihren Partner und ergänzen Sie.

- ■ Womit fängt Marissa bald an?
- ▲ Sie fängt bald an, mehr Sport zu machen.

	Marissa	Ben	Ich	Meine Partnerin / Mein Partner
womit – bald anfangen	mehr Sport machen			
was – sich vorstellen können		sein Auto verkaufen		
womit – bald aufhören	rauchen			
was – oft vergessen		Handy im Kurs ausschalten		
was – anstrengend finden	abends arbeiten			
was – interessant finden	Nachrichten sehen			
was – toll finden		frei haben		
wozu – keine Zeit haben	meine Wohnung aufräumen			
wozu – keine Lust haben	das Geschirr spülen			
wovor – Angst haben		arbeitslos werden		

b Ergänzen Sie Ihre Spalte und fragen Sie Ihre Partnerin / Ihren Partner.

Variante: Ergänzen Sie in Ihrer Spalte auch falsche Informationen.
Kann Ihre Partnerin / Ihr Partner die Fehler finden?

KB I S. 53  **Lektion 8 | 5**

Bevor Frau Strehlow Kaffee kocht, schaltet sie den Computer ein.

a Sehen Sie die Zeichnungen an und lesen Sie die Sätze. Welche Sätze sind falsch?
Kreuzen Sie an und schreiben Sie sie richtig.

Computer einschalten

Computer fährt hoch, Kaffee kochen

Verträge schreiben, Chef anrufen

Verträge kopieren, Termin vereinbaren

in der Cafeteria essen

Lieferung kontrollieren

eine E-Mail tippen, telefonieren

aufräumen

Feierabend machen

1 Bevor Frau Strehlow Kaffee kocht, schaltet sie den Computer ein. ○
2 Während der Computer hochfährt, kocht Frau Strehlow Kaffee. ○
3 Bevor Frau Strehlow ~~Kaffee kocht~~, schreibt sie Verträge. *kopiert* ⊗
4 Während sie Verträge schreibt, vereinbart sie einen Termin. ○

b Schreiben Sie nun zu zweit vier Sätze mit richtigen oder falschen Informationen
zu den Bildern und tauschen Sie mit einem anderen Paar. Schreiben Sie dann
die falschen Sätze richtig.

Was hat Urs gestern gemacht?

▶ 1 39 **a** Hören Sie die Geräusche und machen Sie Notizen.

> 1 der Wecker klingelt
> 2 Urs steht auf
> 3 ...

b Schreiben Sie nun zu zweit Sätze mit *nachdem* und vergleichen Sie dann mit einem anderen Paar.

Variante:
Schreiben Sie Sätze mit *nachdem*, *während* und *bevor*.

> Nachdem der Wecker dreimal geklingelt hatte, ist Urs aufgestanden.
> Er hat ..., nachdem er aufgestanden war.

c Und was haben Sie gestern gemacht? Spielen Sie zu zweit zwei Szenen. Die anderen raten.

■ Nachdem ihr aufgestanden wart, habt ihr gefrühstückt.
▲ Ja, das ist richtig.

Gründe und Folgen angeben: Es war sehr laut auf dem Bahnsteig, daher habe ich die Durchsage nicht verstanden.

a Arbeiten Sie zu zweit. Suchen Sie passende Satzteile. Würfeln Sie dann und schreiben Sie Sätze. Achten Sie auf die Reihenfolge der Satzteile.

Gründe	Folgen
bald in Österreich studieren wollen	den Anschlussflug nicht bekommen werden
sehr laut auf dem Bahnsteig sein	passende Geschäftskleidung besorgen müssen
morgen ein Vorstellungsgespräch haben	die Arbeit der letzten Stunde weg sein
mein Flugzeug zu spät abgeflogen sein	die Durchsage nicht verstanden haben
meine Brille vergessen haben	ihn oft nur schlecht verstehen
ersten Arbeitsplatz in einem Büro bekommen haben	Deutsch in einem Intensivkurs lernen
durch die Prüfung gefallen sein	dem Gespräch gar nicht mehr folgen können
meine Datei nicht gespeichert haben	Grammatik und Wortschatz wiederholen müssen
beim Mittagessen alle durcheinander geredet haben	die Speisekarte nicht lesen können
mein Briefträger eine sehr undeutliche Aussprache haben	sehr nervös sein

🎲 🎲 🎲 Bilden Sie Sätze mit *daher, deswegen, darum* oder *aus diesem Grund*.

🎲 🎲 🎲 Bilden Sie Sätze mit *nämlich*.

🎲 Es war sehr laut auf dem Bahnsteig. Daher habe ich die Durchsage nicht verstanden.

🎲 Ich habe die Durchsage nicht verstanden. Es war nämlich sehr laut auf dem Bahnsteig.

b Tauschen Sie die Sätze mit einem anderen Paar. Schreiben Sie vier der Sätze mit *wegen*. Achtung: Sie müssen die Sätze oft anders formulieren.

Es war sehr laut auf dem Bahnsteig. Daher habe ich die Durchsage nicht verstanden. = Wegen des Lärms auf dem Bahnsteig habe ich die Durchsage nicht verstanden.

Wörter im Text verstehen

Sehen Sie die markierten Wörter an: 11 sind falsch und 5 sind richtig.
Finden Sie die Fehler und ergänzen Sie die richtigen Wörter aus dem Kasten.

hinzufügen | Freude | Gewürzen | lernt | Möglichkeit | notwendig | reich | schaffe | Software | Tür | ändern

1 Sicher Klettern – Samstagskurs

Klettern ist eine herausfordernde Sportart. Beim Klettern bringt man Ausdauer, Konzentration und gegenseitiges Vertrauen. Daher eignet sich Klettern prima, um körperlich und geistig fit zu bleiben. In unserem Ein-Tages-Kurs haben Sie die Gefahr, diesen Sport kennenzulernen. Sie lernen die entscheidenden Grundlagen. Die Teilnahme ist auf eigene Gefahr, wir übernehmen keine Haftung für Unfälle. Bitte eine bequeme Hose, Turnschuhe und etwas zu trinken mitbringen.

2 Musik aus dem Internet – wie geht das? (Seniorenprogramm)

Im Kurs lernen Sie, auf welchen Wegen Sie aktuelle Musik aus dem Internet (legal) herunterladen können und welche Talente Sie zum Abspielen und Verwalten der Musikstücke am PC benötigen. Ganz praktisch üben wir, wie Sie ausgewählte Musikstücke zu Ihrer persönlichen Musikbibliothek kaufen können.

3 Wie verhalte ich mich in Berufssituationen am Telefon?

Mit Telefongesprächen wird häufig der erste berufliche Kontakt geknüpft. Anders als in persönlichen Gesprächen müssen Sie ohne Gestik, Mimik und Blickkontakt kommunizieren. Natürlichkeit, der richtige Ton und die passende Strategie sind daher für ein überzeugendes und sicheres Gesprächsverhalten extrem wichtig.
Seminarinhalte für Einsteiger:
Der erste Eindruck zählt – Wie entdecke ich ein positives Gesprächsklima?, Aktives Zuhören und Fragetechniken, Argumentationstechniken, Verhalten in schwierigen Situationen, Atem- und Stimmübungen/-schulung

4 Wir singen Lieder aus aller Welt

Dieser Kurs ist für alle, die Ideen am Singen haben. Unser Chor singt ausgewählte Lieder aus verschiedenen Zeiten und Stilrichtungen. Außerdem machen wir Übungen für die Stimme. Erfahrung im Chorsingen ist nicht zufällig.

5 1001 Küche – Die Küche des Orients

Die Küche des Orients ist fit an Ideen und Geschmacksrichtungen. In diesem Kurs für Kochprofis werden wir exotische Gerichte mit duftenden Blumen und Kräutern zubereiten. Unsere Rezepte stammen aus Syrien, Afghanistan, Irak und der Türkei. Zu jeder Mahlzeit gibt es landestypische Getränke. Bitte mitbringen: Küchenschürze, Küchenhandtücher, Behälter für Kostproben.

6 Schneiderwerkstatt für Fortgeschrittene: selbst gemachte Sommerkleidung

Der Sommer steht vor der Wahl, Sie brauchen ein schickes Sommerkleid und kennen bereits die Grundtechniken des Nähens? In der Werkstatt lernen Sie, wie Sie Kleidungsstücke entwerfen, nähen oder wählen können. Bitte mitbringen: Stoffreste, Nähgarn, Nähnadeln, Bleistift, Schere und viel Fantasie!

Aktivitäten-Bingo: Wer brauchte was nicht zu machen?

Suchen Sie Personen im Kurs und notieren Sie die Namen. Wer hat zuerst vier Personen, die etwas nicht zu machen brauchten?

Möglichkeit 1: senkrecht

Möglichkeit 2: waagerecht

Möglichkeit 3: diagonal

■ Musstest du früher / als Jugendliche/r auch immer im Haushalt helfen?
▲ Nein, ich brauchte nie/nicht im Haushalt zu helfen. Ich sollte nur …

■ Musstest du früher / als Jugendliche/r kochen?
▲ Ja, das musste ich am Samstag. Einmal die Woche hatte ich mit meinem Bruder zusammen Kochtag.

Klavier oder ein anderes Instrument lernen	nach der Schule als erstes die Hausaufgaben erledigen	im Haushalt helfen	mit deinen Eltern in den Urlaub fahren
für größere Anschaffungen jobben	deine Handyrechnung selbst bezahlen	am Sonntag zum Essen zu Hause sein	Nachhilfe nehmen
deine Kosmetik und Schminke selbst bezahlen 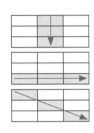	am Wochenende vor Mitternacht zu Hause sein	deine Kleidung vom Taschengeld kaufen	zu Hause kochen
auf deine Geschwister aufpassen	wochentags zu einer festen Zeit ins Bett gehen	deine erste Freundin / deinen ersten Freund heimlich treffen	beim Essen das Handy ausschalten

Gesprächspuzzle erstellen: Wie geht es Ihnen?

a Arbeiten Sie zu zweit und wählen Sie zwei Zeichnungen. Schreiben Sie Gespräche zu den Zeichnungen und verwenden Sie möglichst viele Ausdrücke mit *es*.

①

④

②

⑤

③

⑥

⑤
- Prost! Es ist schon nach Mitternacht. Jetzt muss ich bald los.
- ▲ Ja, stimmt. Es ist schon spät. Aber es war nett, dich mal wieder zu treffen. Das sollten wir öfter machen.
- Und es gibt auch immer so viel zu erzählen! Aber wenn ich jetzt nicht nach Hause gehe, wird es morgen schwierig, pünktlich aufzustehen. ...

b Machen Sie ein Puzzle aus Ihren Gesprächen und tauschen Sie mit einem anderen Paar. Können Sie die Gespräche wieder richtig sortieren?

Ich interessiere mich zwar für …, aber nicht für …

a Verbinden Sie und markieren Sie die zweiteiligen Konjunktionen.

1	Die großen Parteien profitieren nicht von der Repolitisierung der Jugend. Junge Leute interessieren sich weder für die SPD	sondern auch über ihr Sozialverhalten herausfinden wollen.
2	Jugendliche engagieren sich sowohl für Klimaschutz	oder die Grünen.
3	Kleinere Parteien werden populärer. Junge Wähler wählen entweder die FDP, DIE LINKE	noch für die CDU.
4	Regelmäßig interviewen Forscher Jugendliche, weil sie nicht nur etwas über ihre Werte,	aber sie engagieren sich nicht in Parteien.
5	Jugendliche werden zwar wieder politisch aktiver,	als auch für Bildung.

b Ergänzen Sie.

1  Ich interessiere mich _weder_ für Wirtschaftspolitik _____ für Finanzpolitik.

2  Ich interessiere mich _____ für Umweltschutz, _____ nicht für Tierschutz.

3  Ich wähle _____ die Grünen _____ DIE LINKE.

c Arbeiten Sie zu zweit. Machen Sie eigene Zeichnungen wie in b und tauschen Sie mit einem anderen Paar. Schreiben Sie passende Sätze zu den Zeichnungen.

Kreuzworträtsel

a Schreiben Sie Erklärungen zu den Wörtern im Kreuzworträtsel.

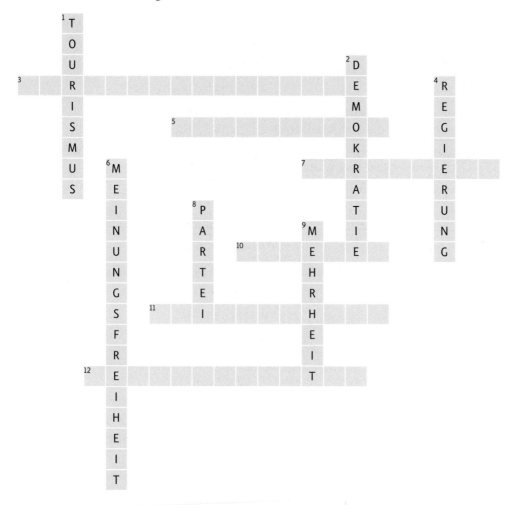

1: Das ist eine Branche, in der man arbeiten kann.
Die Branche beschäftigt sich mit Reisen.

b Fragen Sie Ihre Partnerin / Ihren Partner nach den Erklärungen für die fehlenden Wörter und ergänzen Sie Ihr Kreuzworträtsel.

- Welches Wort muss ich bei Nummer 3 eintragen?
- ▲ Hier kann man Menschen treffen, die ein bestimmtes Ziel haben und sich dazu engagieren möchten ...

Vergleiche: Je älter ich wurde, desto/umso …

a Arbeiten Sie zu zweit. Was passt zusammen? Schreiben Sie fünf Sätze mit *je … desto/umso …* auf Kärtchen.

je …	desto/umso …
alt werden	sich viel leisten können
deutlich sprechen	zunehmen
lange gesund sein	glücklich sein
viel anziehen	sich gut erholen
offen auf Menschen zugehen	viel Zeit haben
laut donnern	tolerant sein
viel Schokolade essen	viele Leute kennenlernen
aktiv sein	andere gut überzeugen
lange Urlaub machen	besser verstehen
kreativ sein	gesund sein
lange berufstätig sein	fit sein
lange schlafen	ängstlich sein
sicher sein	wenig frieren
sich wenig aufregen	wenig heizen
wenig arbeiten	dankbar sein
viel Sport treiben	viel einfallen

Je älter meine Oma wurde, desto toleranter war sie.

b Arbeiten Sie mit zwei anderen Paaren. Lesen Sie Ihre Satzanfänge vor. Die anderen Paare ergänzen passende Satzteile. Das Paar, das den Satz zuerst ergänzen kann, bekommt Ihr Kärtchen. Das Paar mit den meisten Kärtchen gewinnt.

- ■ Je älter meine Oma wurde, …
- ▲ Je älter meine Oma wurde, desto glücklicher war sie.
- ■ Ja, wir haben geschrieben: Je älter meine Oma wurde, desto toleranter war sie. Aber glücklicher ist auch richtig.

Variante:
Verdecken Sie die zweite Spalte und wählen Sie eigene Satzteile.

Präsentation einer Urlaubsregion

a Wählen Sie eine Urlaubsregion aus Ihrem Heimatland und machen Sie Notizen zu den Folien.

① Thema und Struktur der Präsentation

_____

_____

② Meine persönlichen Erfahrungen

_____

_____

③ Welche Rolle spielt die Region für den Tourismus in meinem Heimatland (viele Touristen, Haupt-/Nebensaison …)?

_____

_____

④ Vor- und Nachteile der Urlaubsregion & meine Meinung

_____

_____

⑤ Abschluss, Dank & Fragen der Zuhörer

_____

_____

eine Präsentation strukturieren

Einleitung
In meiner Präsentation geht es um das Thema … | Zum Inhalt meiner Präsentation: … | Zunächst/Zuerst möchte ich Ihnen erläutern, … | Danach zeige ich Ihnen … | Anschließend möchte ich auf … eingehen. | Abschließend können Sie Fragen stellen.

Übergänge
Und damit/nun komme ich zum nächsten/letzten Punkt / zu meinen persönlichen Erfahrungen / zur Situation in meinem Heimatland / zu den Vor- und Nachteilen. | Als ich das letzte Mal …, habe ich Folgendes erlebt: … | Ich habe die Erfahrung gemacht, dass … | … spielt eine große Rolle / keine Rolle in meinem Heimatland. | Meiner Ansicht/Meinung nach …

Abschluss
Ich bin nun mit meinem Vortrag am Ende. Haben Sie noch Fragen? | Ich danke Ihnen fürs Zuhören! | Besten Dank für Ihre Aufmerksamkeit. / Ihr Interesse.

b Präsentieren Sie Ihre Region im Kurs. Die anderen arbeiten zu zweit und formulieren anschließend zwei Kommentare und zwei Fragen zu Ihrer Präsentation.

Der Vortrag war sehr interessant. Wir könnten uns gut vorstellen, dort einmal Urlaub zu machen.
Wir haben jedoch noch Fragen: Wir würden gern wissen, ob es eigentlich auch …

c Fragen Sie, ob Ihre Zuhörer noch Fragen oder Kommentare haben und reagieren Sie.

■ Habt ihr noch Fragen?

▲ Der Vortrag war sehr interessant. Wir könnten uns gut vorstellen, …
  Wir haben jedoch noch Fragen: Wir würden gern wissen, ob es eigentlich auch …

■ Ich habe euch ja von … erzählt. …

Kreuzworträtsel

a Schreiben Sie Erklärungen zu den Wörtern im Kreuzworträtsel.

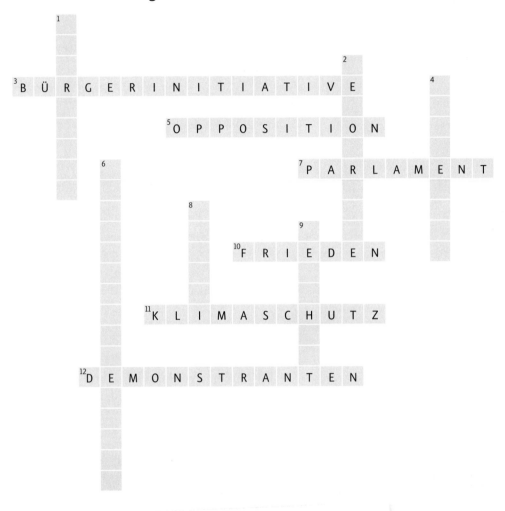

3: Hier treffen sich Menschen, die ein bestimmtes Ziel haben. Man kann sich hier zu einem bestimmten Thema engagieren.

b Fragen Sie Ihre Partnerin / Ihren Partner nach den Erklärungen für die fehlenden Wörter und ergänzen Sie Ihr Kreuzworträtsel.

▲ Welches Wort muss ich bei Nummer 1 eintragen?

■ Das ist eine Branche, in der man arbeiten kann. Man beschäftigt sich mit …

Mittel und Resultate angeben: Indem ich vorher reserviere, ...

- Arbeiten Sie zu viert. Würfeln Sie: Welche Konjunktion sollen Sie verwenden?
- Wählen Sie zwei passende Satzteile und bilden Sie einen Satz. Ist der Satz richtig? Dann bekommen Sie einen Punkt.
- Spielen Sie fünf Minuten. Gewonnen hat die Person mit den meisten Punkten.

Mittel	Resultat
vorher reservieren	auch ohne Karte zahlen können
Obst und Brot mitnehmen	Schlafräume sauber halten
genug Bargeld einstecken	sich während der Wanderung stärken können
früh ins Bett gehen	auf den Wirt Rücksicht nehmen
Proviant einpacken	eine ruhige Nacht haben
Wanderstiefel ausziehen	sicher mit dem Schlafplatz klappen
Müll nirgends liegen lassen	nicht vor verschlossener Tür stehen
Ohrstöpsel benutzen	bei Schwierigkeiten Unterstützung erhalten
Öffnungszeiten beachten	bei der Rast genug zu essen haben
Wanderung planen und Ziel im Hüttenbuch bekannt geben	ausgeruht sein

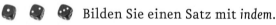 Bilden Sie einen Satz mit *indem*.

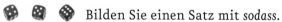 Bilden Sie einen Satz mit *sodass*.

- ■ Indem ich vorher reserviere, klappt es sicher mit einem Schlafplatz.
- ▲ Das ist richtig, Maria. Dafür bekommst du einen Punkt.

- ■ Ich reserviere vorher, sodass es sicher mit einem Schlafplatz klappt.
- ▲ Das ist auch richtig.

Variante:
Schreiben Sie eine eigene Tabelle mit Mitteln und Resultaten und spielen Sie.

▶ 3 07 **Außerhalb des Dorfes liegt ...**

Hören Sie die Dorfbeschreibung und ergänzen Sie die Zeichnung. Nicht alle Wörter passen.
Vergleichen Sie dann mit Ihrer Partnerin / Ihrem Partner.

> Bahnhof | Berge | Fußgängerzone | Hallenbad | Kaufhaus |
> Marktplatz | Stadion | Parkhaus | Wald | Weg

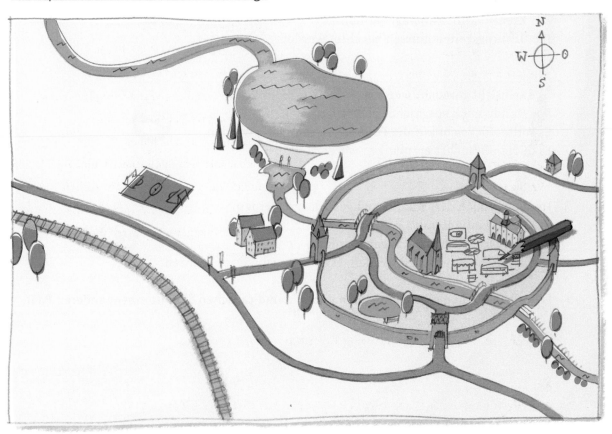

Rätsel erstellen: Es darf nicht geraucht werden.

a Welcher Ort / Welche Situation passt? Arbeiten Sie zu zweit und ergänzen Sie.

In der Bank
Es kann Geld eingezahlt und abgehoben werden.
Rechnungen können überwiesen werden.
Ein Kredit kann beantragt werden.
Die Öffnungszeiten müssen beachtet werden.

_____

Es darf nicht geraucht werden.
Das Handy muss ausgeschaltet werden.
Es sollte Rücksicht auf die Patienten genommen werden.
Es dürfen Besucher empfangen werden.

_____

Im Wörterbuch darf nichts nachgeschlagen werden.
Es dürfen keine Handys benutzt werden.
Es muss pünktlich angefangen werden.
Es darf nicht gesprochen werden, es muss geschwiegen werden.

b Schreiben Sie nun eigene Aufgaben wie in a und tauschen Sie mit einem anderen Paar.

 **Lektion 22** | **4b**

Deutsche Geschichte

Partner A

Fragen Sie Ihre Partnerin / Ihren Partner und ergänzen Sie die fehlenden Informationen.

1	Wer wurde 1871 zum ersten deutschen Kaiser ernannt?	Wilhelm I.
2	Wann wurde die erste deutsche Republik (Weimarer Republik) gegründet?	12.11.1918
3	Wann ist in Deutschland das Frauenwahlrecht eingeführt worden?	
4	Von wem wurde die deutsche Nationalhymne gedichtet?	August Heinrich Hoffmann von Fallersleben
5	Wer wurde 1949 zum ersten Bundeskanzler der BRD gewählt?	
6	Wer wurde zum ersten und einzigen Staatspräsidenten der DDR ernannt?	Wilhelm Pieck
7	Was wurde durch die Pressekonferenz mit Günter Schabowski am 9. November 1989 ausgelöst?	
8	Wer war zur Zeit der Maueröffnung Bundeskanzler und wurde zum „Kanzler der Einheit"?	Helmut Kohl
9	Was ist am 3. Oktober 1990 zum ersten Mal gefeiert worden?	
10	Was ist am 1. November 1993 gegründet worden?	die EU
11	Wann ist in Deutschland der Euro eingeführt worden?	

■ Wer wurde 1871 zum ersten deutschen Kaiser ernannt?
▲ Wilhelm I.

Auflösung zu Seite 133 (Musterlösung):

1: Wie transportieren Sie die Post?

2: Was gefällt Ihnen besonders gut an Ihrer Arbeit? Was ist schwierig?

Energie sparen

Ich lüfte nie, ohne die Heizung auszumachen. /
Ich lüfte nie, ohne dass ich die Heizung ausmache.

a Arbeiten Sie zu zweit, wählen Sie eine passende Ergänzung und notieren Sie.

allein mit dem Auto fahren | das Auto nehmen | den Deckel auf den Topf legen | die Stecker
von Stand-by-Geräten aus der Steckdose ziehen | ein Steak braten | fliegen | in der Badewanne
baden | ~~die Heizung ausmachen~~ | Trinkwasser nehmen | Plastiktüten kaufen

Nadine	Moritz
1 Ich lüfte nie, ohne *die Heizung auszumachen /* *ohne dass ich die Heizung ausmache.*	6 Ich fahre lieber mit der Eisenbahn in den Urlaub, statt _____
2 Ich mache mir lieber ein Gemüsegratin, statt _____	7 Ich nehme meistens einen Stoffbeutel mit, statt _____
3 Ich gehe nicht ins Bett, ohne _____	8 Ich koche nie Nudelwasser, ohne _____
4 Kurze Strecken fahre ich immer mit dem Fahrrad, statt _____	9 Meiner Ansicht nach sollten wir nur duschen, statt _____
5 Meine Blumen gieße ich mit Regenwasser, statt _____	10 Für den Arbeitsweg haben wir eine Fahrge-meinschaft gebildet, statt _____

Variante:
Wählen Sie eigene Ergänzungen.

b Vergleichen Sie mit einem anderen Paar.

■ Nadine lüftet nie, ohne die Heizung auszumachen.

▲ Ja, und sie …

KB I S. 147 **Lektion 24** 5b

Absichten ausdrücken

Schreiben Sie zu zweit Satzverbindungen. Verwenden Sie *um ... zu*, wenn möglich.

1	Wir treffen uns zwei Jahre lang regelmäßig.	Wir lernen uns kennen.
2	Wir schließen Kompromisse.	Wir kommen zu einem Ergebnis.
3	Interessierte wohnen ein halbes Jahr zur Probe.	Wir lernen uns kennen.
4	Meine Nachbarin passt auf mein krankes Kind auf.	Ich kann zu einem Kundentermin in die Stadt fahren.
5	Alle lassen ihre Wünsche einfließen.	Es entsteht gemeinsam viel Neues.
6	Wir haben uns festgelegt und Entscheidungen getroffen.	Unser Traum wird realisiert.
7	Wir wohnen auf dem Land.	Die Kinder können die Natur erleben.
8	Wir leben in einer Gemeinschaft.	Wir unterstützen uns gegenseitig.
9	Soziales und ökologisches Engagement ist mir wichtig.	Meine Kinder haben eine positive Zukunft.
10	Wir teilen uns Autos.	Wir schützen die Umwelt.
11	Wir haben die Gebäude modernisiert.	Wir sparen Energie.
12	Wir holen uns professionelle Hilfe.	Wir lösen Konflikte.

> Wir treffen uns zwei Jahre lang regelmäßig,
> um uns kennenzulernen.

Variante:

Mit welcher Absicht wohnen Sie in der Stadt / auf dem Land / ...? Schreiben Sie fünf eigene Satzverbindungen. Vergleichen Sie dann mit einem anderen Paar.

> Ich wohne in der Stadt, um einen kurzen Arbeitsweg zu haben.
> Ich wohne in der Stadt, damit meine Kinder keinen weiten Schulweg haben.
> Ich wohne in einer kleinen Wohnung, ...
> Ich habe einen Garten, ...

Auflösung zu Seite 140:

1 Innsbruck; 2 Hannover; 3 Falco; 4 Heidi; 5 Wolfgang Amadeus Mozart;
6 Locarno; 7 Moritz Bleibtreu

Deutsche Geschichte

Fragen Sie Ihre Partnerin / Ihren Partner und ergänzen Sie die fehlenden Informationen.

1	Wer wurde 1871 zum ersten deutschen Kaiser ernannt?	Wilhelm I.
2	Wann wurde die erste deutsche Republik (Weimarer Republik) gegründet?	12.11.1918
3	Wann ist in Deutschland das Frauenwahlrecht eingeführt worden?	12.11.1919
4	Von wem wurde die deutsche Nationalhymne gedichtet?	
5	Wer wurde 1949 zum ersten Bundeskanzler der BRD gewählt?	Konrad Adenauer
6	Wer wurde zum ersten und einzigen Staatspräsidenten der DDR ernannt?	
7	Was wurde durch die Pressekonferenz mit Günter Schabowski am 9. November 1989 ausgelöst?	die Maueröffnung
8	Wer war zur Zeit der Maueröffnung Bundeskanzler und wurde zum „Kanzler der Einheit"?	
9	Was ist am 3. Oktober 1990 zum ersten Mal gefeiert worden?	die deutsche Einheit
10	Was ist am 1. November 1993 gegründet worden?	
11	Wann ist in Deutschland der Euro eingeführt worden?	1. Januar 2002

■ Wer wurde 1871 zum ersten deutschen Kaiser ernannt?
▲ Wilhelm I.

KB I S. 149 | **Lektion 24** | 7b

Bruno tut so, als ob ... Aber in Wirklichkeit ...

a Arbeiten Sie zu zweit. Wählen Sie einen passenden Satzanfang und schreiben Sie Sätze zu den Zeichnungen.

Er tut so | Es scheint so | Es sieht so aus | Es hört sich so an

①

④

②

⑤

③

⑥

① Bruno tut so, als ob er sich über den überraschenden Besuch freuen würde. Aber in Wirklichkeit möchte er seine Ruhe haben und fernsehen.

b Zerschneiden Sie Ihre Sätze und machen Sie ein Satzpuzzle. Tauschen Sie das Satzpuzzle mit einem anderen Paar.

Bruno tut so, als ob er sich über den überraschenden Besuch freuen würde.

Aber in Wirklichkeit möchte er seine Ruhe haben und fernsehen.

Variante:
Machen Sie eigene Strichzeichnungen und tauschen Sie mit einem anderen Paar.

Die alphabetische Wortliste enthält die neuen Wörter dieses Buches mit Angabe der Seiten, auf denen sie das erste Mal vorkommen. Wörter, die für die Prüfungen der Niveaustufen A1, A2 und B1 nicht verlangt werden, sind kursiv gedruckt. Bei allen Wörtern ist der Wortakzent gekennzeichnet: Ein Punkt (a) heißt kurzer Vokal, ein Unterstrich (a) heißt langer Vokal. Nomen mit der Angabe (Sg.) verwendet man (meist) nur im Singular. Nomen mit der Angabe (Pl.) verwendet man (meist) nur im Plural. Trennbare Verben sind durch einen Punkt nach der Vorsilbe gekennzeichnet (ab·brechen).

16-jährig	79	die AG, -s: die Aktien-	
die 1980er-Jahre (Pl.)	110	gesellschaft, -en	74
die 1990er-Jahre (Pl.)	110	die Agentur, -en	43
das 1-Zimmer-Apartment, -s	20	aggressiv	153
das 3-Gänge-Menü, -s	99	das Ähnliche (Sg.)	66
der 400-Euro-Job, -s	70	die Akte, -n	46
die 70er-Jahre (Pl.)	20	der Aktivismus (Sg.)	114
die 90er: die 90er-Jahre (Pl.)	62	der Akzent, -e	85
ab: Haare ab	28	alleinerziehend	146
ab·brechen	106	allerbeste-	64
die Abenteuerlust (Sg.)	12	allerdings	16
der Aberglaube (Sg.)	81	allererste-	20
ab·fliegen	167	der Allergiker, - /	
das Abgas, -e	147	die Allergikerin, -nen	56
ab·grenzen (sich)	102	allergisch	38
ab·haken	46	allgemein	93
ab·hängen	63	*der/die Alliierte, -n*	138
ab·heben	178	allmählich	146
die Ablehnung, -en	143	die Alltagserfahrung,	
das Abonnement, -s	31	-en	153
der Abonnent, -en /		die Alltagskultur (Sg.)	138
die Abonnentin, -nen	31	*die Alm, -en*	152
abonnieren	29	*die Alpen (Pl.)*	133
die Abschiedsfeier, -n	76	der/die Alte, -n	28
abschließend	60	das Altenheim, -e	146
ab·schneiden	40	altern	148
der Abschnitt, -e	80	*die Alterung (Sg.)*	149
abschnittsweise	95	*Alt und Jung*	146
ab·schrecken	16	(das) Amerika (Sg.)	23
ab·schreiben	25	amüsieren (sich)	21
ab·schwächen	14	der Anbieter, - /	
abseits	147	die Anbieterin, -nen	99
die Absicht, -en	147	*der Anblick (Sg.)*	61
das Abspielen (Sg.)	88	die Anerkennung (Sg.)	63
die Abteilung, -en	30	*anfällig (sein)*	56
der Abteilungsleiter, - /		der Anfang, ⸚e	18
die Abteilungsleiterin,		anfangs	146
-nen	33	das Anfangsjahr, -e	106
ab·transportieren	124	*die Anforderung, -en*	93
abwechselnd	106	angeblich	139
die Abwehrkräfte (Pl.)	56	der/die Angehörige, -n	74
acht·geben	94	angemessen	63
der Acker, ⸚	121	der Angriff, -e	153
der/die Adelige, -n	115	an·haben	94
die Adjektivendung, -en	90	der Anhang, ⸚e	76
die Adventszeit (Sg.)	74	*Anhieb: auf Anhieb*	25
der Advokat, -en /		an·kommen (auf): Es	
die Advokatin, -nen	83	kommt darauf an, ...	103
(das) Aerobic (Sg.)	56	*an·lächeln*	71
(das) Afghanistan	88	die Anlage, -n	93

der Anlass, ⸚e	126	die Arbeitserleichterung, -en	33
an·locken	63	die Arbeitsge-	
an·nähern (sich)	111	nehmigung, -en	138
an·nehmen	92	der Arbeitsinhalt, -e	26
an·preisen	127	das Arbeitsklima (Sg.)	16
an·probieren	49	die Arbeitslosigkeit (Sg.)	111
an·reisen	74	das Arbeitsmittel, -	26
die Ansage, -n	30	die Arbeitsplatz-	
die Anschaffung, -en	169	garantie, -n	138
anscheinend	147	der Arbeitsplatz-	
der Anschlussflug, ⸚e	167	wechsel, -	27
die Ansicht, -en	34	der Arbeitsstil, -e	92
ansonsten	43	der Arbeitstag, -e	18
an·spannen	60	die Arbeitsumgebung,	
die Anspannung, -en	60	-en	133
die Ansprache, -n	18	der Arbeitsweg, -e	180
an·sprechen	21	die Arbeitsweise, -n	92
der Ansprechpartner, - / die		die Arbeitswelt, -en	56
Ansprechpartnerin, -nen	56	das Arbeitszeitmodell, -e	63
anspruchsvoll	21	der Archäologe, -n /	
an·strengen (sich)	35	die Archäologin, -nen	12
der Anteil, -e	45	das Argument, -e	142
an·transportieren	124	die Argumentationstech-	
an·treiben	118	nik, -en	88
die Antwortmöglichkeit, -en	10	der/die Arme, -n	12
die Anwaltskanzlei, -en	92	arrangieren (sich)	118
die Anweisung, -en	58	arrogant	14
anwesend	149	die Art, -en	133
die Anzahl (Sg.)	139	asiatisch	23
an·ziehen	63	der Aspekt, -e	63
an·zünden	146	der Assistent, -en /	
der Aperitif, -s	38	die Assistentin, -nen	34
die Apfelsine, -n	98	die Assoziation, -en	19
appetitlich	98	der Astronaut, -en /	
der Applaus (Sg.)	136	die Astronautin, -nen	52
die Aprikosentorte, -n	122	die Atemübung, -en	88
die Aquakultur (Sg.)	151	atmungsaktiv	49
die Aquaponik (Sg.)	151	*das Atomkraftwerk, -e*	111
der Aquaponik-Container, -	151	Aua!	72
die Aquaponik-Farm, -en	151	der Audioguide, -s	137
das Aquaponik-Konzept, -e	151	die Audioguide-Sequenz, -en	138
arabisch	81	*auf·essen*	41
die Arbeitgeberattraktivität		*auf·fallen*	16
(Sg.)	63	*auf·frischen*	89
der Arbeitgeber-		*auf·steigen*	124
wechsel, -	95	das Aufgabengebiet, -e	92
der Arbeitnehmer, - / die		auf·geben	46
Arbeitnehmerin, -nen	56	aufgeregt (sein)	104
der Arbeitsablauf, ⸚e	92	auf·heben	112
die Arbeitsaufgabe, -n	95	auf·klären	48

die Eingangsrechnung,
-en 92
ein·gehen (auf) 58
ein·halten 110
einhändig 158
die Einheit, -en 109
einiges 63
einjährig 16
das Einkaufen 142
ein·kehren 115
ein·leiten 30
die Einleitung, -en 60
einmalig 133
der Einmarsch, ∺e 139
ein·marschieren 139
ein·nehmen 34
die Ein-Parteien-
Diktatur, -en 138
der Einpersonenhaushalt, -e 23
ein·prägen (sich) 85
der Einsatz, ∺e 74
ein·schließen 138
ein·setzen (sich) 107
einst 115
der Einstand, ∺e 74
ein·stecken 176
der Einsteiger, - /
die Einsteigerin, -nen 88
die Einstellung, -en 95
das Einstiegsgehalt, ∺er 95
der Eintrag, ∺e 70
der Eintrittszeitpunkt, -e 92
einwandfrei 100
ein·zahlen 178
die Einzelheit, -en 146
der/die Einzelne, -n 44
die Einzelperson, -en 144
das Einzeltraining, -s 26
ein·ziehen 21
einzig- 46
die Eisenbahn, -en 180
die Eisenbahnschiene, -n 133
das Eiweiß, -e 151
das Elektroauto, -s 146
das Elternhaus, ∺er 102
die E-Mail-Nutzung (Sg.) 74
die Emotion, -en 154
emotional 69
der Empfang, ∺e 129
empfangen 106
endgültig 76
der Endlos-Satz, ∺e 22
die Energie, Energien 142
energiesparend 146
eng 21
engagieren (sich) 112
die Englischkenntnisse (Pl.) 92

die Entdeckungsreise, -n 90
entfernen 142
die Entfernung, -en 148
entgegen 128
entgegen·nehmen 58
die Entlassung, -en 149
entscheidend 63
die Entscheidung, -en 11
die Entscheidungs-
hilfe, -n 111
entschließen (sich) 16
entschlossen (sein) 104
die Entspannungsübung, -en 56
entsprechen 51
entstehen 27
die Entstehung (Sg.) 120
enttäuschend 18
enttäuscht (sein) 18
entwickeln 93
die Entwicklung, -en 23
die Entwicklungs-
abteilung, -en 93
erarbeiten 56
das Erbe (Sg.) 106
erben 20
die Erfassung (Sg.) 92
erfreut sein 39
erfrischend 43
erfüllen 79
die Erfüllung (Sg.) 70
die Erhaltung (Sg.) 121
erhöhen (sich) 149
erholen (sich) 115
das Erinnerungsfoto, -s 25
erkälten (sich) 76
die Erkältung, -en 41
die Erkenntnis, -se 56
die Erklärung, -en 172
erkranken 79
erkundigen (sich) 76
erläutern 58
erlebnisreich 74
erledigen 16
die Erledigung, -en 92
ermahnen 64
ermöglichen 79
ernähren (sich) 152
der Ernährungsspezialist, -en /
die Ernährungsspezialistin,
-nen 26
der Ernährungstipp, -s 99
ernennen 117
ernst 13
ernsthaft 48
die Ernte, -n 103
das Erntefest, -e 115
die Eröffnung, -en 44

das Ersatzteil, -e 142
erschöpft (sein) 128
erschrecken (sich) 84
ersetzen 34
erst mal 128
die Erstellung (Sg.) 92
das Erststudium,
-studien 111
die Erwachsenenbildung
(Sg.) 90
erwarten 18
die Erwartung, -en 63
die Erzählung, -en 97
erziehen 50
der Erzieher, - /
die Erzieherin, -nen 16
die Erziehung (Sg.) 103
die Essenseinladung, -en 37
die Essigsoße, -n 83
etabliert 111
die Etage, -n 56
die EU (Europäische
Union) 138
der Europäer, - /
die Europäerin, -nen 23
ewig 148
das Exemplar, -e 45
das Exil, -e 117
das Experiment, -e 140
das Expertenteam, -s 56
die Expo, -s 140
extern 92
der Extremfall, ∺e 133
exzellent 92
die Fabel, -n 153
das Fachgebiet, -e 45
die Fachschule, -n 16
der Fachtext, -e 92
die Fachzeitschrift, -en 45
der Fahrer, - /
die Fahrerin, -nen 130
die Fahrgemein-
schaft, -en 180
das Fahrrad, ∺er 141
das Fahrradfahren 142
fahrradfreundlich 142
der Fahrradschuppen, - 146
die Fahrradstraße, -n 142
das Fährschiff, -e 79
fair 12
der Fakir, -e 154
der Faktor, -en 56
fallen 17
fällen 120
fallen lassen (sich) 87
falls 37
falten 60

familiär 74
der Familienalltag (Sg.) 102
familienfreundlich 56
die Familienfreundlich-
keit (Sg.) 63
das Familienunter-
nehmen, - 62
famos 64
der Fan, -s 128
das Fantasiewort, ∺er 86
die Fastnacht, -en 135
faulenzen 52
die FDP (Freie Demokratische
Partei) 110
die Fee, Feen 82
die Feier, -n 75
der Feierabend, -e 165
feindlich 106
das Fell, -e 48
das Ferienquartier, -e 21
der Ferientag, -e 69
fern 34
fern·halten 81
die Fernsehzeit-
schrift, -en 29
die Fertigkeit, -en 89
fest 169
fest·halten 52
fest·legen (sich) 61
das Festnetztelefon, -e 118
die Festplatte, -n 35
das Festspiel, -e 132
fest·stehen 142
fest·stellen 143
feuerrot 28
die Feuerwehrfrau, -en /
der Feuerwehr-
mann, ∺er 52
filtern 151
die Finanzen (Pl.) 61
finanziell 12
die Finanzpolitik (Sg.) 171
der Firmengründer, - /
die Firmengründerin,
-nen 62
der Firmenparkplatz, ∺e 74
die Fischaufzucht (Sg.) 151
das Fischstäbchen, - 17
das Fitnessangebot, -e 56
flach 121
der Fleck, -e oder -en 94
der Fliegenpilz, -e 81
fliehen 106
fließend 79
das Flirten 93
das Floß, ∺e 74
die Floßfahrt, -en 76

WORTLISTE

QUELLENVERZEICHNIS

Cover: © Getty Images/Andreas Pollok

Seite 13: Hand mit Smartphone und Frau © Thinkstock/iStockphoto

Seite 14: © Thinkstock/iStockphoto

Seite 18: © Thinkstock/Hemera

Seite 19: © Thinkstock/Design Pics

Seite 20: 3a © Thinkstock/iStockphoto; 3b: 2. Bild Wohnwagen © fotolia/Robert Ford; Mann © Thinkstock/F1online; 3. Bild © Thinkstock/Stockbyte; 4. Bild © PantherMedia/JPaget RFphotos

Seite 23: © Hueber Verlag

Seite 25: Klassentreffen © Gerd Pfeiffer, München; Übung 1: 1, 2, 5 © Thinkstock/iStock; 3 © Thinkstock/Blend Images; 4 © Thinkstock/Purestock

Seite 26: alle: Mingamedia Entertainment GmbH

Seite 27: beide Bilder © Thinkstock/iStock

Seite 28: Schere © Thinkstock/ivan_baranov

Seite 33: © Eastblockworld.com

Seite 34/35: Bildlexikon: Roboter, Smartphone, Tablet-PC © Thinkstock/iStockphoto; PC © iStockphoto/nico_blue; Laptop © fotolia/Fatman73; Handy © iStockphoto/milosluz; Festplatte, Tastatur © Thinkstock/Photodisc; Laufwerk © Thinkstock/Hemera; Monitor © iStockphoto/Viktorus; Maus © Thinkstock/Brand X Pictures

Seite 34: A © Thinkstock/iStockphoto; B © iStockphoto/Scott Cramer Photography

Seite 35: Paulo © Thinkstock/Digital Vision; Lukas © fotolia/Yuri Arcurs; Verena © Thinkstock/Ingram Publishing

Seite 41: Schüssel, Blätterornament © Thinkstock/iStockphoto

Seite 43: Gläser © Thinkstock/Pickledjo

Seite 44: Alle Fotos und Bilder mit freundlicher Genehmigung des MIGROS-GENOSSENSCHAFTS-BUND, Zürich, Schweiz

Seite 45: Zeitungen © fotolia/svort; Zeitschriften © Thinkstock/Hemera

Seite 50: © iStockphoto/Ljupco

Seite 51: Murmeln, Uhrwerk, Wasserhahn, Welpe © Thinkstock/iStockphoto

Seite 52: Welpe, Wasserhahn, Uhrwerk, Murmeln © Thinkstock/iStockphoto

Seite 58: von links © fotolia/contrastwerkstatt; © Thinkstock/iStockphoto

Seite 61: Wolle © Thinkstock/iStock; Mann © iStockphoto/barsik

Seite 62: 1 © Hueber Verlag; 3: Mingamedia Entertainment GmbH

Seite 63: Bild oben © Thinkstock/Christopher Robbins; Text in bearbeiteter Form © 3s Unternehmensberatung GmbH, http://www.karrierefuehrer.at/; Bild unten © Thinkstock/Top Photo Group

Seite 64: Bitte nicht stören © Thinkstock/Anastasiya Zalevska

Seite 65: © iStockphoto/Vetta Collection/sturti

Seite 66: © iStockphoto/Vetta Collection/sturti

Seite 69: © fotolia/Siberia

Seite 70: © Thinkstock/iStockphoto

Seite 73: © Werner Dieterich

Seite 74: Borte © Thinkstock/iStockphoto; Floß © Werner Dieterich

Seite 78: © fotolia/Peggy Blume

Seite 79: alle © Herzenswünsche e.V.

Seite 80: Aufgabe 1: 3: Mingamedia Entertainment GmbH; Aufgabe 2: Charlotte Habersack, München

Seite 81: A: Wichtel © Thinkstock/Ingram Publishing; Murmel, Stein © Thinkstock/iStock; Ring © Thinkstock/Hemera; Kleeblatt, Marienkäfer © Thinkstock/Zoonar; Pfennig © fotolia/MPower223; Fliegenpilz © Thinkstock/Ingram Publishing; Hufeisen © fotolia/UK; Glücksschwein © fotolia/Henry Schmitt; Katze, Fatima © Thinkstock/iStock; Muschel © fotolia/Stefan Thiermayer

Seite 84: Hahn 2 x © Thinkstock/iStock; Schloss: Gebäude © Thinkstock/Goodshoot; Metall © Thinkstock/Creatas; Bank: Kreditinstitut © iStock/Alina Solovyova-Vincent; aus Holz © Thinkstock/iStock; Schlange: Tier © PantherMedia/Guido Glowacki; Menschen © Thinkstock/iStock; Übung 3b von links: © Thinkstock/moodboard; © Thinkstock/Photodisc; © Thinkstock/iStock; © Thinkstock/Monkey Business

Seite 85: Nagel: Finger © fotolia/Tootles; Metall © Thinkstock/Zoonar; Birne: Obst © Thinkstock/iStock; Licht© Thinkstock/Hemera; Leiter © Thinkstock/Photodisc; Kursleiter © Thinkstock/Stockbyte; Schalter: Behörde © Thinkstock/Photodisc; Licht © fotolia/Denis Junker

Seite 88: © Thinkstock/iStock

Seite 90: © Thinkstock/iStock

Seite 97: alle © Hueber Verlag/Kannitverstan AMSTERDAM JOHANN PETER HEBEL GESCHICHTE MÜNCHENER BILDERBOGEN

Seite 98: Clip 5 © Ingrid Plank, Deutschkurse bei der Universität München

Seite 99: oben © Volkshochschule Mönchengladbach; Mitte © Thinkstock/Blend Images; unten © Thinkstock/iStock/ Nikolay Trubnikov

Seite 106: Galerie © iStock/Silvia Jansen; Ausstellung © Glowimages/KFS; Maler © fotolia/mangostock; Stillleben © Thinkstock/iStock; Landschaft © fotolia/PANORAMO; Hügel, Mauer © Thinkstock/iStock; Landschaft mit weißer Mauer, Gabriele Münter © dpa Picture-Alliance/A. Koch; Münter und Kandinsky © Glowimages/Fine Art Images

Seite 107: Kunstakademie © iStock/Christopher Futcher; Farbe © fotolia/djama; Form © Thinkstock/Dorling Kindersley RF; Zeichnung, Skizze, Pinsel © Thinkstock/iStock; Bleistift © Thinkstock/Image Source; Münter © Glowimages/ Fine Art Images; Russenhaus © PantherMedia/Eberhard Starosczik

Seite 109: © dpa Picture-Alliance/Tim Brakemeier

Seite 110: Kernenergie © iStockphoto/Tjanze; Windenergie, Datenschutz, Bildung, Forschung © Thinkstock/iStock; Umweltschutz © Thinkstock/Hemera; Tierschutz © fotolia/Tanja Bagusat; Parteien: © SPD Parteivorstand; © Bundespartei BÜNDNIS 90/DIE GRÜNEN http://www.gruene.de/startseite.html; © CDU; © Christlich-Soziale Union in Bayern e.V.; © FDP-Bundesgeschäftsstelle; © Bundesgeschäftsstelle der Partei DIE LINKE

Seite 111: Frieden, Gesundheit, Steuern, Sicherheit © Thinkstock/iStock; Arbeitslosigkeit © Thinkstock/Zoonar; Kinderbetreuung © PantherMedia/Tatyana Okhitina; Wirtschaft © PantherMedia/Jörg Röse-Oberreich

Seite 112: Kernenergie © iStockphoto/Tjanze; Windenergie, Datenschutz, Bildung, Forschung © Thinkstock/iStock; Umweltschutz © Thinkstock/Hemera; Tierschutz © fotolia/Tanja Bagusat; R. Doebel © iStockphoto/STEVECOLEccs; T. Mattsen © iStockphoto/Neustockimages; J. Krämer © Thinkstock/iStock; S. Witthoeft, I. Pichler © Thinkstock/Fuse

Seite 113: Frieden, Gesundheit, Steuern, Sicherheit © Thinkstock/iStock; Arbeitslosigkeit © Thinkstock/Zoonar; Kinderbetreuung © PantherMedia/Tatyana Okhitina; Wirtschaft © PantherMedia/Jörg Röse-Oberreich; Stadtpark © Thinkstock/iStock

Seite 115: Oben und Mitte © Hotel Gutshaus Stellshagen; unten © Thinkstock/iStockphoto

Seite 116: alle: Mingamedia Entertainment GmbH

Seite 117: oben © Glowimages/SuperStock; Mitte © Glowimages/Keystone Archives; unten © Glowimages/Jewish Chronicle

Seite 119: © Saskia Schutter, Schneverdingen

Seite 120: Heide, Biene, Honig © Thinkstock/iStock; Moor, Bach © Thinkstock/Hemera; Gras © Thinkstock/AbleStock. com/Getty Images; Bauer © Thinkstock/Monkey Business; Karte © Digital Wisdom; Hintergrund © Thinkstock/iStock/ pictureimpressions

Seite 121: Wolle, Schaf, Herde, Pflanze, Acker, Blüte, Pferd © Thinkstock/iStock; Vieh © Thinkstock/Valueline; Übung 6a © Thinkstock/iStock; Übung 6b © Archiv Verein Naturschutzpark e.V.

Seite 124: Hütte, Terrasse © Thinkstock/iStock; Proviant © fotolia/ankiro; Aussicht © fotolia/rcaucino; Decke © iStock/ gmnicholas; Schlafsack © iStock/dlewis33; Übung 3 © Thinkstock/Goodshoot

Seite 125: Ohrstöpsel © fotolia/thingamajiggs; Stirnlampe © fotolia/Dan Race; Deckenlicht, Gondel © Thinkstock/iStock; Tal © PantherMedia/Jens Ickler

Seite 126: © PantherMedia/Josef Müller

Seite 128: Essen © fotolia/Dieter Brockmann; Basel © Thinkstock/iStockphoto

Seite 129: Augsburg © fotolia/Klaus Bäth

Seite 131: Ruhrgebiet © Thinkstock/iStock; Weingut Basel © iStock/Rchang; Augsburg © Thinkstock/iStock/manfredxy

Seite 132: Bregenz © PantherMedia/Wolfgang Cibura

Seite 133: Friede Nissen © gaestehaus-neuwarft.de/Friede Nissen; Andreas Oberauer, Andrea Bunar © Deutsche Post AG

Seite 134: Bilder Stadtdetektive: Mingamedia Entertainment GmbH; Logo die Stadtdetektive © Astrid Herrnleben

Seite 135: Karte © Digital Wisdom

Seite 136: Karte © Digital Wisdom

Seite 139: Eiffelturm © fotolia/axeldrosta

Seite 140: Bleibtreu © iStock/EdStock; Expo 2000 © PantherMedia/Stefan Dubil; Mozart © Thinkstock/Getty Images

Seite 141: A © fotolia/Jason Vosper; B © fotolia/drob; C © Thinkstock/iStock; D © Phantom Lightning von RECUMBENT; Übung 2: 1 © Thinkstock/iStock; 2 © Thinkstock/moodboard; 3 © Thinkstock/Stockbyte; 4 © Thinkstock/iStockphoto

Seite 142: Umweltschutz © Thinkstock/Hemera; Umweltverschmutzung © Thinkstock/iStock/pierredesvarre; Energie, Konsum © Thinkstock/iStock; Ernährung © Thinkstock/liquidlibrary/Getty Images; Übung 3 © Thinkstock/ Digital Vision

Seite 143: Strom, Wasser, Heizen, Transport, Müll © Thinkstock/iStock

Seite 148: © Thinkstock/Comstock

Seite 150: © Hueber Verlag

QUELLENVERZEICHNIS

Systemvoraussetzungen Lerner-DVD-ROM (Mindestanforderung):

Windows

x86-kompatibler Prozessor mit mindestens 2,33 GHz oder Intel® Atom™ mit mindestens 1,6 GHz für Netbooks

Microsoft® Windows® XP, Windows Server® 2008, Windows Server® 2008, Windows Vista® Home Premium, Business, Ultimate oder Enterprise (auch 64 Bit) mit Service Pack 2, Windows 7 oder Windows 8 Classic.

512 MB RAM (1 GB empfohlen)

Mac OS

Intel Core Duo™ 1,83 GHz oder schnellerer Prozessor

Mac OS X Version 10.6, 10.7, 10.8 oder 10.9

512 MB RAM (1 GB empfohlen)

Auf dieser DVD-ROM wird folgendes Programm mitgeliefert: Air Runtime

Zusätzliche Voraussetzung:
800 MB freier Festplattenspeicher